風憩の風景

Landscape of wind and relaxation

風憩世紀

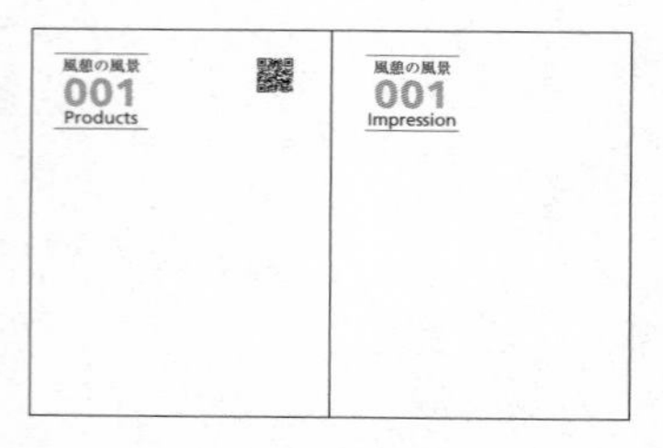

はじめに

本書は見開き左右2ページで構成されています。
左ページは「Products」とし、風景を構成する重要な道具である様々な用途のストリートファニチャーについての解説とともに、それぞれのプロダクトにまつわる物語りを紹介しています。右上のQRコードを読み取るとプロダクトの詳細を見ることができます。
右ページでは「Impression」として、著者が日々の生活においてココロを動かされ切り取った風景を、その心情とともに紹介しています。
モノをデザインし、カタチにするデザイナーとしての発想の原点とモノづくりへのこだわり、そしてふと遭遇した風景を見て感じた写真家としての素直なココロの動きを感じていただけると思います。
この本が、モノづくりに関わるすべての人のココロをザワつかせることができたとすれば、無上の喜びです。

風憩世紀

目次

P.002　はじめに

P.006 ~ P.405　風憩の風景400選

風憩の風景

Landscape of wind and relaxation

風景に見え隠れする人のいとなみ

風憩の風景
001
Products

スーパームーンと照明「独灯」

宮城県松島町

日没後の短い時間に、ハッと息をのむような青が広がりました。その日は欲張らずに夜間の撮影はこの現場のみ。じっくり待った甲斐がありました。東にある水平線から昇ってきたばかりのスーパームーンには、久しぶりに見る「餅をつくウサギ」が見えます。僕たちの製品「独灯」の灯りが点灯する頃には、空はブルーモーメントの青一色。望遠レンズをつけたカメラで月にピントを合わせて撮影しました。設置した製品を紹介する作品集の為の撮影でしたが、スーパームーンには負けました。

風憩の風景
001
Impression

2020.06.04

工場スタッフの職人技

埼玉県行田市関東工場

打合せで関東工場に行きました。主にアルミ形材とセコロウッドを加工している工場ですが、この日はスタッフの一人がスチールパイプ(STK400)に溶融亜鉛めっき(通称:ドブ漬け)を施したものをバイブレーションサンダーで仕上げていました。溶融亜鉛めっきの上に塗装を施す場合、メッキのダレを仕上げないと塗装しても仕上がりが平滑にならないので、この工程は必須です。スタッフの手際良さとその仕上がりのクオリティに見とれてしまいました。このまま商品になりそうです。

※溶融亜鉛めっき＝高温で溶かした亜鉛に鋼材を浸し表面に亜鉛皮膜を形成する技術。

風憩の風景
002
Products

島根県松江市

地域の石でつくる「地元の独灯」

独灯(どくとう)という製品名を思いついたのは2006年頃でした。はじめは「獨灯」と難しい漢字を使っていましたが、独立電源の灯りを「独灯」と呼ぶことにして、いろいろなカタチを模索しました。2008年頃、今の「田の字」のカタチに落ち着きました。開発当初から支柱は、設置される地元の材料を使用したいと考えていました。島根県に設置された独灯は島根県産の来待石を使用し、街角のポケットパークにさりげなく収まっていました。その後秋田の男鹿石、沖縄の琉球灰石、栃木の大谷石等「地元の独灯」という呼び名で日本全国で採用されていきました。そして、ベトナム産の黒い石を使いベトナムでの採用を目指しています。

風憩の風景
002
Impression

2020.06.11

追い求める究極の断面

東京都墨田区 シツラエギャラリー

西暦2000年秋、風憩セコロ設立から1年目オリジナルのアルミ形材を3点つくりました。あれから20年。今も当時のまま切断して、穴を開けて組み立て、施工現場で取り付けていく。新しい製品のアイデアが浮かんだらまずはアルミ形材で製作できないかを考えます。無理なら新しいアルミ形材の断面を考えていきます。人に優しいフォルムで主張しないデザイン、軽量で強く加工性が良く、ハンドリングしやすい。様々なバリエーションに応用がきくような形材を標榜して、線を描いては消し、また描いては消し理想の断面をつくっていきます。ランドスケーププロダクトにふさわしいアルミの断面はまだ見つかりません。

風憩の風景
003
Products

安心してつかめる「手すり」の探究

神奈川県横浜市

1994年「東京都福祉のまちづくり条例」が制定されました。この条例ができたお陰で、全国的にバリアフリー、ユニバーサルデザインの考え方が普及し、手すりについても太さの基準や高さの基準が決められました。風憩セコロが「憩木」という名前の手すりを発売したのが2000年です。アルミ形材の支柱に再生木材の手すりを装着し、バンドで挟み込むという至ってシンプルな構造にしました。2020年春コロナ禍以降、公園で過ごすことの大切さを実感しています。安心して掴んでもらうためにも、屋外でも効果が期待できる抗菌材を探しています。

風憩の風景
003
Impression

2020.06.18

日本家屋に見る境界の美学

岐阜県郡上八幡

内と外の境界が好きで、よく写真撮ってます。畳、上がり框、切目縁、沓脱石、苔、用途も様々です。イグサ、綿、木材、石、植物、材質も様々です。テレワークに疲れたら、こんな空間にごろりと横になって、昼寝が最高気持ち良いでしょう。

※上がり框（あがりまち）＝玄関のたたきとホールの境目にある部分。
※切目縁（きりめえん）＝縁板を敷居と直角に張った縁。濡れ縁に見られる。
※沓脱石（くつぬぎいし）＝縁側などに置かれている踏み台にするための石。

風憩の風景
004
Products

風が見える揚水風車

静岡県袋井市

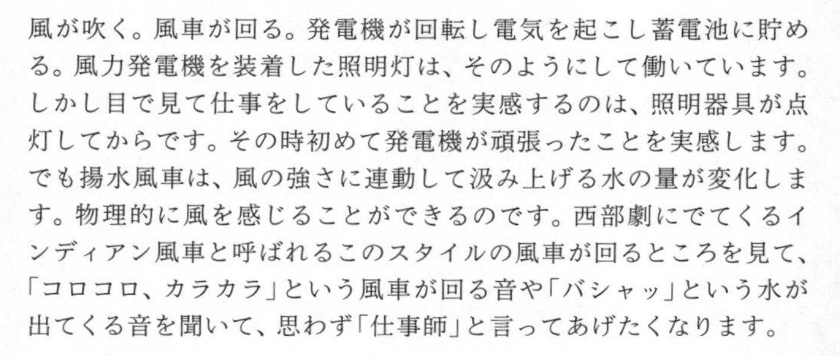

風が吹く。風車が回る。発電機が回転し電気を起こし蓄電池に貯める。風力発電機を装着した照明灯は、そのようにして働いています。しかし目で見て仕事をしていることを実感するのは、照明器具が点灯してからです。その時初めて発電機が頑張ったことを実感します。でも揚水風車は、風の強さに連動して汲み上げる水の量が変化します。物理的に風を感じることができるのです。西部劇にでてくるインディアン風車と呼ばれるこのスタイルの風車が回るところを見て、「コロコロ、カラカラ」という風車が回る音や「バシャッ」という水が出てくる音を聞いて、思わず「仕事師」と言ってあげたくなります。

風憩の風景
004
Impression

2020.06.25

台風一過、雲がつくる空の景

東京都武蔵野市

東京の西の方に住んでいた頃、週末は自転車に乗って、当時出始めたデジタルの一眼レフカメラを首からぶら下げて、あちこち散歩してました。2004年の秋、台風が去った後、朝方までの風と雨が嘘のように強烈な日差しが降り注いできました。見上げた空には、うろこ雲とレンズ雲。見通しの良い場所を探して井の頭公園に向かいます。刻一刻と変化する雲のカタチを楽しみながら、シャッターを切りました。新しくなる前の「いせや公園店」で撮った写真をカメラのディスプレイで見ながら、チューハイと焼き鳥を食べて良い気分になりました。飲酒しての自転車も、今ほどうるさく無かった時代の話です。

風憩の風景

005

Products

グラフィックコンクリートの可能性

長崎県長崎市

コンクリートを使ったストリートファニチュアを規格品にしたのは、今から8年前のことでした。アルミ形材を加工したプロダクツを開発することが僕たちに与えられた使命ですが、そのことを第一に考えながら13年間新製品を開発してきました。独立電源とコンクリートによる「コンソラポ」と命名した製品を企画し、コンクリートの試作を重ねていく中で、コンクリートが持つ多様なテクスチュアの表現に嵌っていきました。そして4年前、僕たちはグラフィックコンクリートという新しい素材と出会いました。長崎の平和公園近くの歩道に、鳩を抽象化したグラフィックを施したボラード照明を提案しました。この素材の可能性は、まだまだ広がります。

風憩の風景
005 Impression

コンクリート、錆、白

佐賀県武雄市

2020.07.02

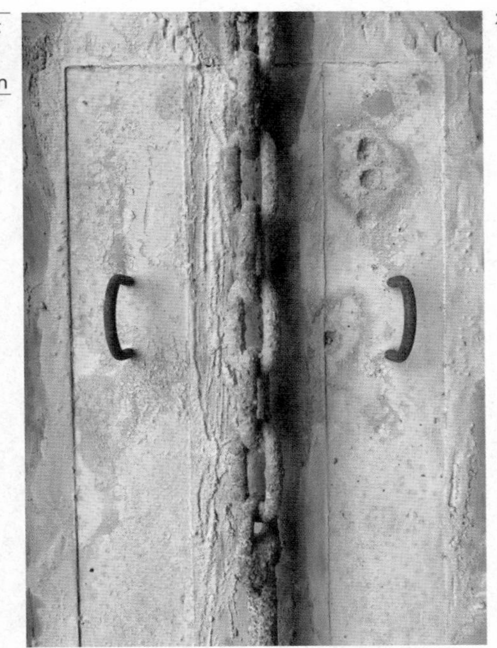

対象を真俯瞰、または真正面から撮るのが好きです。その時、対象物にどちらから光が当たっているかであちらこちら動き回ります。まったくパースがかかっていない写真の場合、その対象物のテクスチュアだけに意識が集中します。この1枚はグラフィックコンクリートを製作するコンクリート工場で撮影しました。どこかユーモラスなスチールの丸鋼の赤錆と、白いコンクリートの無機質クールな表情。コンクリートがこびりついたチェーンにテンションがかかった緊張感。好きな写真です。

風憩の風景
006
Products

ひらめきから生まれた理想のフォルム

山口県美弥市

2003年ソライトを発表した当時、ソーラーパネルを縦に使うことは構造上は不利になるため、まだどこのメーカーもやってませんでした。2本のポールを門形に組んで、1本の支柱（バッテリーボックス）にボルト6本で固定する。ソーラー照明灯の究極のフォルムだと思いました。それから3年、持ち前のあまのじゃく精神が顔を出し始め、モノポールでの製品開発に着手しました。1本のポールに2枚の太陽電池と2灯の照明器具。アイデアがひらめいた時にはスラスラと今のカタチができあがってました。スラッと伸びた1本脚と2枚のパネルは今見ても美しいなあと思います。

風憩の風景
006
Impression

2020.07.09

スクラップは宝の山

埼玉県行田市

工場に行くと場内を一回りして、アルミ形材のスクラップ入れをじっと見てます。運が良いと数種類のアルミ形材の端材が放り込まれています。運が悪いとスクラップ業者に持っていかれた後で何も入ってない日もあります。同じ形材でも見る方向が違えば別の製品に使えるように見えますし、別の用途を思いつくこともあります。年中いろいろな工場に見学に行きますが、どの工場でもスクラップ入れをのぞき込んでいます。一番アイデアが湧くのは、鋳物工場のスクラップ入れです。湯口を切った端材には、有機的なカタチがいくつもあります。最近売れているソラマメハコベンも、そこから生まれた作品です。

風憩の風景
007
Products

座り方の選択肢は無限である

東京都稲城市

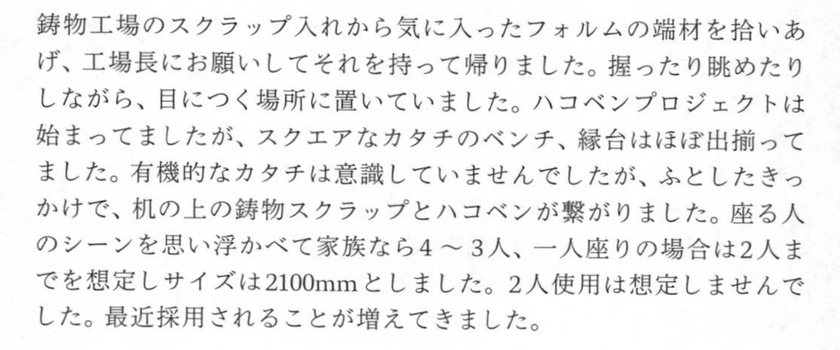

鋳物工場のスクラップ入れから気に入ったフォルムの端材を拾いあげ、工場長にお願いしてそれを持って帰りました。握ったり眺めたりしながら、目につく場所に置いていました。ハコベンプロジェクトは始まってましたが、スクエアなカタチのベンチ、縁台はほぼ出揃ってました。有機的なカタチは意識していませんでしたが、ふとしたきっかけで、机の上の鋳物スクラップとハコベンが繋がりました。座る人のシーンを思い浮かべて家族なら4～3人、一人座りの場合は2人までを想定しサイズは2100mmとしました。2人使用は想定しませんでした。最近採用されることが増えてきました。

風憩の風景
007
Impression

2020.07.16

日常に潜むグッドデザイン

Belgium Antwerp

数字の「12」は好きな数字です。奇数でも偶数でも割りきれるところが特に好きです。すべてを受け入れて取り込んでしまう、その受容性の高さが好きです。英語で「11」はeleven、「12」はtwelveと言いますが、13以上になるとthirteenというように「~teen」と表現します。12を区切りにしているんですね。12進法のなごりでしょうね。この写真は片っ端から住居表示を撮影してた頃のものですが、2000カットほど溜まりました。真鍮の切り文字にビス4発。ビスを打つ位置も、ビス頭の見せ方も素直で好きです、この収まり。いい感じに緑青が現れて下地の白と馴染んでいました。

風憩の風景
008
Products

照明と一体化した高欄がつくる夜景

愛知県岡崎市

ソーラー照明灯「ソライト」の発売以来、独立電源の照明システム、特に独立電源を使った少ない消費電力で効率よく照射する方法を追求していました。しかし、僕たちのもうひとつの主力製品である高欄や防護柵、手すり等フェンス関係の製品にライン照明を装着して欲しいという依頼が増えてきました。この「さくらのしろばし」で採用された製品は、地元の檜を地元の業者さんが施工し、当社は支柱や笠木の構造部材とライン照明を納品しました。高さ1m程度の笠木に取り付けられたライン照明と、0.2mの下桟に取付られたライン照明で照度を確保しました。商用電源を使ったCFLシステムを規格化して、これらの要望に対応していきます。

風憩の風景
008
Impression

2020.07.22

バンクシーは21世紀のジェイミー・リードか？

神奈川県横浜市

横浜アソビルで開催された「バンクシー展 天才か反逆者か」に行ってきました。世界5都市を巡回して100万人以上が観た展覧会だそうです。ステンシルを使ったグラフィティだけではなく、シルクスクリーンの作品も多く展示されてました。わかりやすいモチーフの選択と洗練されたシルエット。そしてなんと言ってもそのユーモアと社会に対する批判精神に気持ち良く笑うことができました。パンク創世記に感化されたジェイミーリードの作品（セックス・ピストルズの一連のアートワーク）の21世紀型だと感じました。センスの良いユーモア精神は社会を変えるチカラがある。

ジェイミー・リード／Jamie Reid（1947～2023）。英国のパンクバンド「セックス・ピストルズ」などのビジュアルデザインを手掛けたグラフィックデザイナー。

風憩の風景
009
Products

機能が広がる電柱のあり方を考える

沖縄県宮古島市

「ソライトを電柱共架できないか？」。ソライトを販売した直後からこんな依頼が数多くありました。そこで「ソライトDJ（電柱ジョイント）」という名称で規格化しました。しかし、各地の電力会社やNTTの電柱を使用する規制は思った以上に高く、なかなか普及はしませんでした。そして2020年、今後日本では「スマート街路灯・スマートポール」というような名称で、LED照明、カメラ、スピーカー、サイネージ等を装着した電柱が増えていく構想があるようです。照明だけなら独立電源で対応できますが、他のアプリケーションすべてに対応するには無理があります。「独立電源でスマートポール」、このテーマで開発開始です。

風憩の風景
009
Impression

偶然の要素を切り取る

東京都足立区

2020.07.30

ブラブラ散歩しているとモルタルの壁に反応してしまいます。表面のテクスチャーと影の角度とものカタチ、この3つの要素が自分の中で気持ち良い瞬間に遭遇したらシャッターを押します。できれば真正面から撮りたいのですが、この写真の場合は目線より上に対象があり左はフェンスで侵入できなかったので、右下から撮りました。でもこの角度から撮ったことが幸いし、45度に伸びた影が印象的な写真になりました。

風憩の風景
010
Products

人の手がやさしさをつくる

東京都品川区

「アルミ材は軽量で耐候性は良いけど、手づくり感は無いでしょ。デザインのチカラでそこを何とかしてもらえませんか？」。水辺に設置される防護柵について、そんなオーダーを頂きました。考えたのはアルミキャストで制作し、テクスチャーをつけた表面にすることで手づくり感を出す手法です。いろいろ考える中で、歩きながらリズムを意識し、瞬間的にヌケ感を感じられ、その上で手づくりでなくてはつくれないアイデアを思いつきました。防護柵のパネルに使用する格子を1本1本角度を変えて組み付ける方法です。アルミ形材を使用し、プレス加工ではなくひと穴、ひと穴ボール盤であける加工です。まさに手づくりです。15年前の作品ですが、今も当時のまま綺麗に利用されています。

風憩の風景

010

Impression

2020.08.06

贅沢な夏休み

茨城県日立市

毎年夏休みは、海の近くにある実家に帰省して海水浴に行くのが習慣でした。午前中から海で遊んで浜辺で昼ご飯食べて帰ってきます。風呂入ってビール飲んで、高校野球見ながら昼寝の時間。ヒグラシが鳴き始める頃目覚めます。うちわを持って虫除けスプレーつけて、海まで散歩します。途中の酒屋でビール買って、やさしい波を見ながらボーッとしてました。実家を解体したので今はできないけれど、幸せな夏休みだったなあ。

風憩の風景
011
Products

風景になる製品づくり

沖縄県北谷町

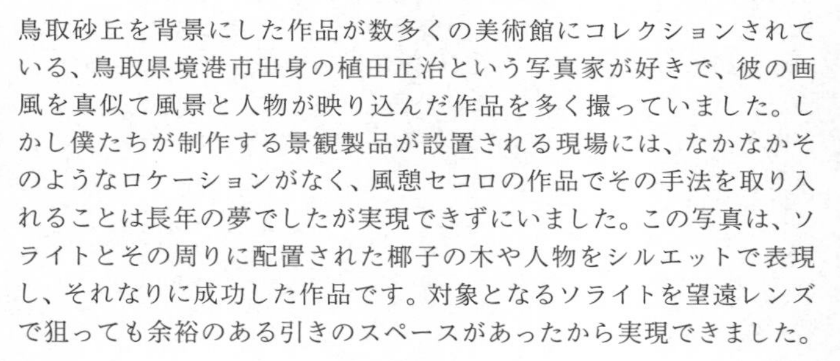

鳥取砂丘を背景にした作品が数多くの美術館にコレクションされている、鳥取県境港市出身の植田正治という写真家が好きで、彼の画風を真似て風景と人物が映り込んだ作品を多く撮っていました。しかし僕たちが制作する景観製品が設置される現場には、なかなかそのようなロケーションがなく、風憩セコロの作品でその手法を取り入れることは長年の夢でしたが実現できずにいました。この写真は、ソライトとその周りに配置された椰子の木や人物をシルエットで表現し、それなりに成功した作品です。対象となるソライトを望遠レンズで狙っても余裕のある引きのスペースがあったから実現できました。

風憩の風景

011

Impression

2020.08.20

一瞬を切り取る

茨城県日立市

夏の夕方、日焼けした火照った肌を心地よい風にさらしながら、海に突き出た突堤に三脚立てて、高速シャッタースピードで、波の背中を連写しました。

植田正治 ／ 1913 ～ 2000)。鳥取県境港市を拠点に70年近く活動した写真家。前衛的な演出写真は「植田調」として知られている。

風憩の風景
012
Products

水辺空間に生まれる心地よい風景

東京都葛飾区

アルミ形材を主要な材料として製品開発を行っている僕たちの製品は、水辺で使用されることが多いです。海、川、池等の人々が滞留する空間や、遊歩道が主要な設置スペースとなります。階段を下りて、遊歩道を散策していくと必ず橋梁が頭上に現れます。その橋梁の下には遊歩道が整備されておらず、橋の上まで上がって橋を渡った後にまた橋から下りて遊歩道に戻らないと散策はできません。最近は橋梁の下に遊歩道を整備し、そのまま歩行者を誘導していく、遊歩道の連続化事業が増えてきました。そこにアルミの高欄とセコロウッドを使ったパーゴラやベンチ等、僕たちの製品が使われています。

風憩の風景
012
Impression

2020.08.27

思わぬ現象にシャッターを切る

東京都千代田区

屋外家具に使うファブリックを数種類サンプル購入して、霧吹きで水を吹付けました。その表面をマクロレンズで撮影しました。これは米国のサンブレラというアウトドアファブリックトップブランドのファブリックの表面です。綺麗な水玉がコロコロと転がってます。数時間後には染みていきましたが、ファインダーを覗いた時の不思議な気持ちは今も思い出します。

風憩の風景
013
Products

子供の遊びも受け止める「手すり」

東京都目黒区

僕たちがつくる製品には機能があります。手すりは歩行補助としての機能を有してます。その目的のために、その目的に見合ったカタチを、決められたルールに基づいて開発していきます。手すりを設置する整備担当者も、決められたルールに基づいて、階段やスロープには手すりが必要だと設置していきます。しかし利用する人たちには、決められたルールは存在しません。手すりだと思わないで遊んでしまうこともあります。手すりにスケートボードで乗り上げたり、パーゴラにぶら下がって懸垂をしてみたり。そんなルールを無視した使い方をして破壊されることもあります。でも、最低限子供たちが遊具として遊んでいて怪我をしてしまうことだけは避けなければいけません。

風憩の風景
013
Impression

2020.09.03

カメラ片手に気まま旅

富山県富山市

何年か前に毎週のように写真旅行に行ってました。一人旅です。特急列車には乗らずに公共交通機関のみを利用して、古い町並みを撮影することを目的としてました。知らない街を撮影して、銭湯に入って、今日の宿を探してブラブラ歩いていたら鳥の大群に出会いました。ムクドリらしいです。美しく、神秘的な群れの動きに見入ってました。

風憩の風景

014 Products

外で寛ぐアウトドアリビング

東京都江東区

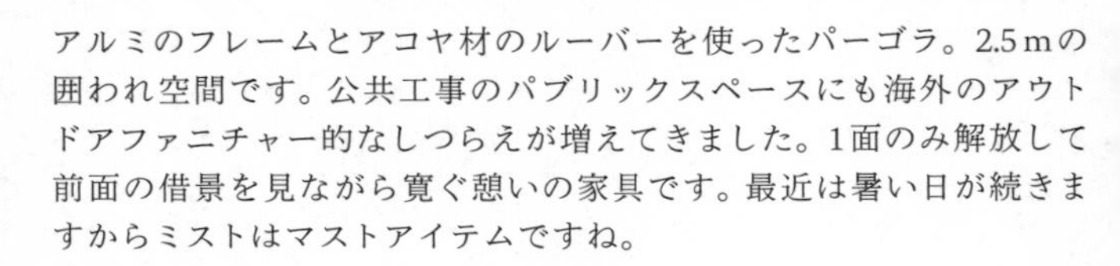

アルミのフレームとアコヤ材のルーバーを使ったパーゴラ。2.5ｍの囲われ空間です。公共工事のパブリックスペースにも海外のアウトドアファニチャー的なしつらえが増えてきました。1面のみ解放して前面の借景を見ながら寛ぐ憩いの家具です。最近は暑い日が続きますからミストはマストアイテムですね。

風憩の風景
014
Impression

2020.09.10

風景に溶け込むサイン

Netherlands Steenbergsche Haven

何年か前にオランダに行ったとき、綺麗な錆のコールテン鋼を使ったサインが多いなあと思いました。無骨な仕上がりなのにしっかり主張しているその佇まいに魅力を感じました。その中でこのサインは特にお気に入りです。R形状のウッドデッキ+ベンチの蹴込み板(H-500程度)。そこにこの施設の名称をレーザー抜きしたコールテン鋼のプレートを装着して施設名称サインにしています。ポール状のサインじゃなくてもしっかり主張している。この場所にふさわしいサインでした。

※コールテン鋼＝サビによってサビの発生を抑制する耐候性鋼。

風憩の風景
015
Products

設置場所に相応しいフォルムの都市型風力発電

東京都千代田区

会社をつくった時から、風力発電に関係するプロジェクトの話は数多くいただきました。現在ほどエコロジーとエコノミーが手を結んでいなかった時代なので「たくさん発電してお金を儲けてやろう」的な話はまったく無く、「風車かっこいいね、設置してみたいね」的なノンビリしたプロジェクトが多かったと思います。その中で舞い込んできた秋葉原の商業ビルの、風車モニュメントのプロジェクト。会社設立から3年目でした。沢山の仲間の協力のもと、無事設置することができました。大都会の高層ビルのど真ん中に設置されるので、サボニウスと呼ばれる縦軸の風車が採用されました。担当した設計者から、秋葉原の持つ真空管のイメージでデザインしているということを聞かされました。

風憩の風景
015
Impression

2020.09.17

施工現場

東京都千代田区

秋葉原のプロジェクトは施工も僕らで行いました。工場でのものづくりしか経験のない僕らが、地上20mの現場で自分たちがつくったサボニウス風車を取り付ける。怖いという感覚よりも面白そうという気持ちでした。安全帯二丁掛けという言葉もその時初めて覚えました。この写真は風車を架台に取り付けるために、台車でスライドしてセンター軸まで移動しようとしているところです。

観光客に現実を見せない工夫

山口県長門市

独灯というプロダクトをつくろうと思い立ったきっかけは、温泉でした。僕らの製品は、プロダクトアウトではなくマーケットインの思想で開発されています。お客様の要望を聞き、そこに僕らなりのこだわりを取り入れて製品をつくりあげていきます。でもこの独灯という製品はその課程を踏んでいません。今から15年ほど前、一人旅で温泉に泊まり、風呂の周りの植栽を照らす照明装置を見たときにアイデアがひらめきました。商用電源を使用するので配線が必要なため地上をウネウネと電線が舞ってました。遠くに見える山の稜線とその向こうの夕焼け雲、手前の木塀。目の前には電線。これでは非日常空間とは言えません。独立電源の和風フットライトのイメージが湧いてきました。

風憩の風景
016
Impression

雰囲気を台無しにしないものづくり

滋賀県近江八幡市

2020.09.24

仕事がら川面に近づくための階段はどこに行っても気になります。川面に近い遊歩道の右側を下流に向かって歩くことが多いです。僕が撮影した時は、この木製階段は現役でした。階段を下りる時もしっかり安定していて怖くなかったです。でも、フレームの中に収めようとするとこうなります。水、みどり、木、石、漆喰、瓦、筋交いが効いてます。

風憩の風景

017

Products

非日常へのこだわり

福岡県春日市

僕らの製品に、アルミとセコロウッドを組み合わせ、スクエアのフォルムをしたアルーバーというパーゴラがあります。この製品にアルミキャストの屋根を載せ、「アルーバー azumaya」を発売しました。開発していく中での試行錯誤はいつもの通りでしたが、今回はすごく楽しみなことがありました。アルミキャストで製造するということは、テクスチャーにこだわれるということです。特に下から見上げた時の天井面のテクスチャーには、何か意味を持たせたいなと思いました。サンプルを数種類製作し、検討を重ねた結果採用したのは、和紙でつくった水紋を型にしてそれを表現したテクスチャーです。「水紋を下から見上げる」、日常ではあり得ない目線です。

風憩の風景
017
Impression

2020.10.01

空が近い場所

福岡県春日市

台風10号が去った後の晴天が何日か続いた午後、面白いカタチの雲を発見しました。スヌーピーの後ろ姿みたいです。東京にいると見上げなければ空を見る機会はあまりありませんが、地方では顔を上げずに空が見えるので、面白いカタチの雲がすぐ目に入ります。

風憩の風景
018
Products

歩行者や自転車の活動を安全に促す高欄

東京都中央区

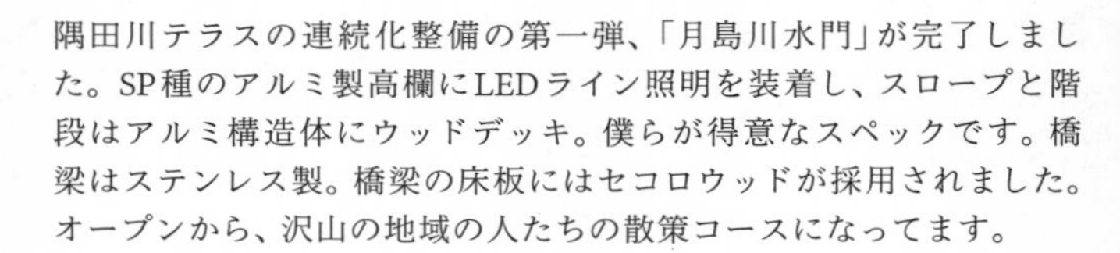

隅田川テラスの連続化整備の第一弾、「月島川水門」が完了しました。SP種のアルミ製高欄にLEDライン照明を装着し、スロープと階段はアルミ構造体にウッドデッキ。僕らが得意なスペックです。橋梁はステンレス製。橋梁の床板にはセコロウッドが採用されました。オープンから、沢山の地域の人たちの散策コースになってます。

※SP種＝防護柵の種別。歩行者や自転車の安全性を考慮して設置される高欄。

風憩の風景
018
Impression

2020.10.08

森山大道写真展より

東京都渋谷区

森山大道。10代の頃から憧れの写真家です。東京都写真美術館で開催されている写真展見てきました。新作も展示されてましたが、一番のお気に入りは70年代の写真のシルクスクリーンの作品です。写真の印画紙に定着された粒子の粒をシルクの網点に対応させてました。近くで見ても引いて見ても大道節が聴こえてきました。やっぱりモノクロのハイコントラストが好きです。

風憩の風景
019
Products

つかめば分かる「こぶ型手すり・ユニップ」

福岡県大野城市

こぶ型手すりユニップ。2012年に製品ラインナップに加えました。爆発的なブームにはなっていませんが、着実に納入実績を積み上げています。全国の条例では、手すりの直径はφ40程度と定められていますが、小さい子供や高齢者にとってφ40は少し大きいかもしれません。そこで開発されたのがφ40のパイプを緩やかなこぶ状に加工して誰にでも掴みやすい形状にしたこぶ型手すりです。コブとコブの頂点の間隔を130mmとし、一番細いところでφ32に仕上げています。細いところを掴むことで抵抗が増し、より安定感がアップします。

風憩の風景

019 Impression

2020.10.15

日本の美～その1

京都府京都市

ハッと目を見張る柾目でした。長年雨風にさらされて冬目が鮮やかに立ってます。まるでアート作品のようなテクスチャーです。自然に出来た浮づくりはさりげなく主人の感性を物語ってます。壁にピントを合わせ、手前に芽吹いた赤色を配置しました。

風憩の風景
020
Products

日本の木を使う
宮城県角田市

2019年から宮城県産の針葉樹を材料にしたCLTを使った、木塀の開発プロジェクトに参加していました。CLTは今まで、主に建築の構造材として利用されてきましたが、屋外のエクステリア製品としての製品化は、おそらく全国初だと思います。JASの性能区分K4を担保する防腐、防蟻性能を付与する処理が施されています。そしてなにより、その自己主張する表情を全面的に展開できるのが特長です。全国的な普及を期待してます。

※CLT＝繊維方向を交差させた板を積層接着した木質系材料。

風憩の風景
020
Impression

2020.10.22

日本の美～その2

宮城県白石市

宮城県白石市福岡八宮弥治郎地区を産地とする「弥治郎系こけし」。その歴史は古く、江戸時代中期の宝暦年間に開かれたといわれてます。ベレー帽のように彩られたろくろ模様の大きな頭と、ろくろ模様が多用された胴体が特長らしいです。でも僕は、華やかな衣装と憂いのある表情にドキッとしました。おでこの赤いリボンもチャーミングです。

風憩の風景
021
Products

スペインのものづくりに触発された「バルセロナボラード」

熊本県菊池市

僕たちはアルミ形材をメインのマテリアルにして、プロダクツを製作してきました。仕上げは当然アルマイトです。色はマットブラウンやステンカラー等何色かバリエーションがありますが、最終表面はクリアーのツルッとした仕上がりが当たり前だと思ってました。3年前にスペインのアルミ工場に見学に行った時、ビックリしたのがアルマイト仕上げの材料は一切使用していないこと。すべての部材の材料で生材を使用し、材料同士の仕口の付け合わせ部は溶接。そして最終フィニッシュは粉体塗装。膜厚の厚い塗装で溶接部のサンダー跡を綺麗にコーティングしていました。その加工工程に触発されて製品開発したのがこの製品です。「バルセロナボラード」と呼んでます。

風憩の風景
021
Impression

2020.10.29

漆黒と友とファンタジー

沖縄県糸満市

友人に会いに行きました。8月に沖縄に移り住んだ友人です。出会ったのが15年前ぐらい。その頃から将来は沖縄に永住するとニンマリしながら語っていました。海に夕日が沈む頃から始まった薄めの泡盛を飲みながらの語らいの中で、その友人が「夜の11時半になったらファンタジーの世界が広がるよ」と言い出しました。ファンタジーなんて言葉が一番似合わない彼が言うので思わずプッと吹き出しましたが、漆黒の闇の中で11時半きっかりにこの景色が広がりました。漆黒と友とファンタジー。東京に帰るのがイヤになりました。

※アルマイト＝アルミニウムを陽極で電解処理して人工的に酸化皮膜を生成させる表面処理のこと

風憩の風景
022
Products

好評の転落防止柵「SWGT」

東京都江東区

僕らの防護柵関連の製品で一番好評なのがSWGTというP種の転落防止柵です。SWはセコロウッドの略。GTは下水道手すりの略。再生木材セコロウッドを笠木に使用した下水道型手すり、ということで命名しました。リーズナブルな価格と再生木材による経年劣化が少ないことが好評な理由として考えられます。規格品は支柱にもセコロウッドを装着していますが、笠木のみセコロウッドのオーダーにも対応しています。この現場は、最近増えてきたシャビー感を醸し出す白塗装のSWGTです。背景が緑の屋外だとなおさらその白さが引き立ちます。セコロウッドの木質感とのコントラストも抜群です。

風憩の風景
022
Impression

2020.11.05

好きな撮影対象

岐阜県美濃加茂市

カメラを持って出かける時は、写真家のモードになってます。ブラブラ町を歩きながら、飛び込んできた風景に向けてシャッターを押します。時期によって飛び込んでくる風景（僕が面白いと思う風景）が変化します。でも見つけたら必ず撮影する対象がいくつかあります。それのひとつが、塗装が剥がれて捲（まく）れている外壁です。この写真の場合、捲れた塗装の影が面白いと感じました。わさび色のタイルのツルツル感との組み合わせも好きです。

※P種＝防護柵の種別。歩行者自転車用柵に強度区分が定義されている。

風憩の風景
023
Products

山の中腹でリラックス

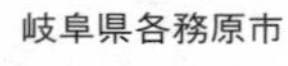

岐阜県各務原市

岐阜県の伊木山の中腹にある「伊木の森」に、ハコベンリラックスベンチが採用されました。3基ある内の2基は、各務原市街を見下ろすことができる芝生広場の緩やかな傾斜地に置かれています。ベンチに寝転んで、遠くの山の稜線を眺めながら心地よい時間を過ごしました。残りの1基は伊木の森に向かって配置されています。色づき始めた紅葉と鳥のさえずりを楽しみました。

風憩の風景
023
Impression

2020.11.12

バラの花弁が纏う水滴のドレス

東京都調布市

東京の西の方に住んでた頃、晩秋になると楽しみにしていた被写体がありました。神代植物公園のバラです。特に雨降りの休日はウキウキして出かけました。マクロレンズを装着したカメラに1脚を取り付けて、見学者の邪魔にならないように細心の注意をはらいながらの撮影です。ファインダーの中のミクロの世界は神秘的で100種類以上のバラを撮影しました。小さな水滴が素敵です。

風憩の風景
024
Products

田の字は和であり中庸である

東京都台東区

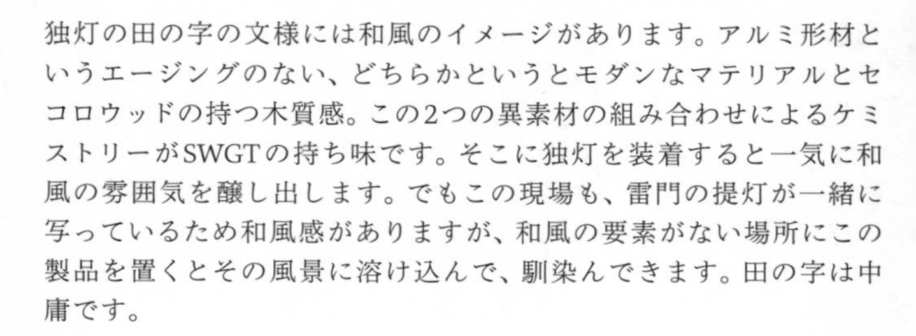

独灯の田の字の文様には和風のイメージがあります。アルミ形材というエージングのない、どちらかというとモダンなマテリアルとセコロウッドの持つ木質感。この2つの異素材の組み合わせによるケミストリーがSWGTの持ち味です。そこに独灯を装着すると一気に和風の雰囲気を醸し出します。でもこの現場も、雷門の提灯が一緒に写っているため和風感がありますが、和風の要素がない場所にこの製品を置くとその風景に溶け込んで、馴染んできます。田の字は中庸です。

風憩の風景
024
Impression

2020.11.19

界面マジック

茨城県日立市

植物の葉っぱや茎はものすごく水をはじきます。撥水性が高いのには意味があるそうです。汚れが着かないようにして光合成効率を上げるのです。そして、水滴はピッタリと吸い付いていて、なかなか落っこちません。これは「花弁効果」と呼ぶそうです。平滑でない固体表面と、液体と、気体の界面が織りなすマジックです。022で塗装の剥がれの写真を紹介しましたが、あれも界面関係の作品でした。

風憩の風景
025 Products

浮世と墓地を分けるフルオーダーフェンス

東京都新宿区

「5角形の格子を使用したい」。デザイナーからの要望にどう答えるか。依頼を受けてきた営業と設計者や工場の加工担当で、ミーティングが始まります。僕らのカタログには掲載されていない完全フルオーダーのフェンスの提案です。意匠に絡んだディテールの部分はわりとすんなり決まるのですが、施工を含めた納まりについては長時間の議論が続きます。最後には原寸大のサンプルを製作して検証することも珍しくありません。この現場は新宿西口の高層ビル街の中のお寺の外周フェンスです。浮世と墓地の境界を5角形の格子で仕切っています。

風憩の風景
025
Impression

2020.11.26

田舎で出会った「青」

青森県下北郡

東北を一人旅した時、漁村に建ってある小屋のバリエーションに感激して、沢山の小屋写真を撮影しました。その中の1枚です。破風にも塗られたこの青が気持ち良くて、僕も使いたくて、この色の塗料を探すのですが、日本塗料工業会の標準色見本帳にはこの青色に近い青色はありません。彩度が足りないのです。

※破風（はふ）＝日本建築で切り妻の屋根の端に取り付けるもの。

風憩の風景
026
Products

ライオンが越えられない壁とフェンス

東京都日野市

多摩動物公園のライオンバスは50年近い歴史があります。サファリパークが日本国内になかった時代から運行されてきました。ライオンバスには餌の肉がついていて、ライオンを近距離で見ることができます。耐震化に伴う工事において僕らは、規格品のアルミルーバーフェンスを大型化したフェンスを製作しました。ライオンは5mジャンプするとのことで、バスが通行する道路と擁壁の距離が8.5m以内で、現在の擁壁の高さが8.15m（バスの高さ3.15m+ジャンプ力5m）に満たない箇所に設置しました。ライオンがバスの屋根から5mジャンプするところを実際に見たいですね。

風憩の風景
026
Impression

2020.12.03

アリが見る風景

東京都渋谷区

横断歩道の前で信号待ちをしている時、工事が終わったばかりの白線ラインの鮮やかな白が目に飛び込んできました。天気は曇り空、アスファルトも新しく白線とのコントラストが印象的です。どうやってこの景色をファインダーで切り取ろうかなーと考えて、信号が青になるのを待ってました。信号が青になって一番右側を歩きだし、センターラインにカメラを置いてシャッターを押しました。アリの目線です。

風憩の風景
027
Products

秋田駅広場に設置したベンチに2020年を思う

秋田県秋田市

僕たちが2018年に発表した国産材の針葉樹を使った製品シリーズで、「K4ウッドプロダクト」があります。K4とはJASの規格性能区分の中の上から2番目に区分されていて、屋外で耐久性の期待できるものとされています。この秋田駅前広場のベンチは東北産の杉を使用し、含浸性造膜型水性塗料のパールブラック色を塗布したK4ウッドの座面とスチール材に溶融亜鉛めっきを施し、その上からリン酸亜鉛処理をしたフレームで構成されています。芝生には2020年を象徴する不織布のマスクが落ちていましたが、そのままにしておきました。何年かのち、この写真を懐かしむことを祈って。

風憩の風景
027
Impression

2020.12.10

夏を待つ風景

Belguim Knokke

日本の海の家は夏限定の仮設だけど、海外のビーチハットは1年中建っている恒常的な小屋。海に向かって並んで建っているその佇まいは部室みたい。カラフルにペイントされている小屋も多いけど、何年か前にベルギーで見た白い小屋が連続している姿は、印象に残ってます。微妙に表情が違うところが嬉しい。曇天の天気と相性も良く、まったく影のないスーパーフラットな作品になりました。

風憩の風景
028
Products

ポストレスのバラスター高欄

福岡県福岡市

最近、ポストレスのバラスター高欄のオーダー品の依頼が増えてます。SP種の強度を確保し、バラスター(格子)と笠木の2つの部材で構成されている高欄です。防護柵の基準書には、柵の頂部に対して荷重をかけるように記載されています。ここでいうところの頂部とは、部材名で言えば笠木と呼ばれる横方向に流れてる部材のことです。この現場「あいたか橋」の高欄は、ポストレスの上に笠木レスのバラスター高欄です。笠木という部材が存在しません。従ってこのフォルムで、SP種の強度計算書を作成するための考え方を整理するのに苦労します。この作品のバラスターはアルミキャストで製作し、表面には梨地のテクスチャーをあしらいました。

風憩の風景
028
Impression

2020.12.17

地殻変動が生んだ「青石」

徳島県徳島市

徳島市内には138もの川が縦横に流れています。市内中心に流れる新町川と助任川に囲まれている「ひょうたん島」をクルーズした時、護岸に積まれた青石が見えてきました。青石は地中深くでの地殻変動による「動力変性」を受けてでき上がったもので、徳島城のバックとなっている城山、市の中心に突出している眉山なども全岩青石らしい。場所場所によって様々なカタチや積み方をした青石を見ながら、この石を使ったプロダクツをイメージしました。

風憩の風景
029
Products

Wait for the turn to become Street furniture.

京都府亀岡市

アルミ形材のオリジナル断面は今までに50型以上つくりました。今でも使われている断面もあれば、2年で破棄された断面もあります。アルミ形材の金型は2年間使われないと破棄されるのです。息の長い断面に育てあげるには時間がかかりますが、いろんな制約の中で、2年で結果を出さなくてはなりません。2016年にスチール材のオリジナル断面を初めてつくりました。肉厚10mmの40×40のサイズのH鋼です。その断面を使ってベンチや防護柵、手すりやボラード等のストリートファニチャーを規格化していきました。別ブランド「シツラエ」として販売しています。この断面は2年の制約はありませんが、長期に在庫していると錆が発生します。今日も工場の材料倉庫で出番を待っています。

風憩の風景
029
Impression

2020.12.24

太陽光パネルの廃棄問題を考える

北海道千歳市

2012年に始まった固定買取価格制度(FIT)。急速に普及した太陽光発電のパネルは、寿命を迎える2040年頃から廃棄物が大量に出ることが予想される。先日、友人と話していてそのことに気付かされた。このままだと原発の放射線廃棄物と同じじゃないのか?クリーンなエネルギーを使った照明灯を日本で1番に設置してきた僕らにとって、他人事にはできない問題だと思った。この写真のように太陽光パネルだけをずらっと並べた物件はひとつも関わってないけれど、ソーラー照明灯を日本全国に1本ずつ設置してきた10000本の累計実績がある。少なくとも僕らが設置したソーラー照明灯の太陽光パネルを、リサイクル、リユースする仕組みを2021年には確立したいと切実に思ってます。

風憩の風景

030

Products

ソライト10年、希望の灯

岩手県大船渡市

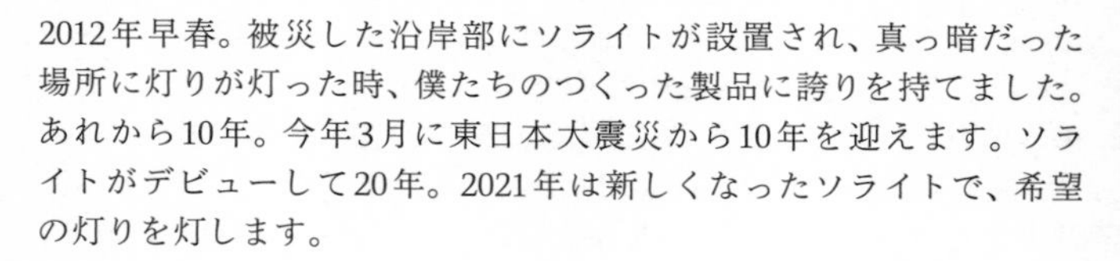

2012年早春。被災した沿岸部にソライトが設置され、真っ暗だった場所に灯りが灯った時、僕たちのつくった製品に誇りを持てました。あれから10年。今年3月に東日本大震災から10年を迎えます。ソライトがデビューして20年。2021年は新しくなったソライトで、希望の灯りを灯します。

風憩の風景
030
Impression

2021.01.01

令和3年、丑年

茨城県日立市

新年あけましておめでとうございます。本年もどうぞよろしくお願いします。去年の年末に車運転しながらラジオを聴いていたら、Y氏が夫婦放談という番組をやっていました。その中で視聴者からの「最近気に入った格言はありますか？」という質問に、奥さんのTさんが「永遠に生きるつもりで夢を抱け。今日死ぬつもりで生きろ」と言ってました。良い言葉だなと思って調べたところ、それはジェームス・ディーンの言葉でした。彼はこの他にも沢山の良い言葉を残してました。まさに、今日死ぬつもりで生きていたんですね。今年は年男。ポンコツな身体に染みてくる上質なオイルのような言葉でした。

風憩の風景
031
Products

ハコベンリラックスで気持ち良い時間を

東京都江東区

ハコ型ベンチ「ハコベン」。2013年に製品化しました。アルミフレームをすべて面材で化粧することにより、面材を留める構造部材の仕上がりにそれほど拘らなくて良いため、複雑なフォルムにも対応できます。R形状のハコベンリラックスは、024でピックアップしましたが、このタイプは直線形状です。脚を乗せる部分の角度と、リクライニングする角度のバリエーションを5タイプ用意しました。写真のタイプは脚の角度22.5度、リクライニングの角度は54度のセコロウッドを使用したタイプです。お爺さんが、東京湾を眺めながら、ゆったり気持ち良い時間を過ごしていました。

風憩の風景
031
Impression

2021.01.07

ブレクジットとパンクなオッサン

東京都荒川区

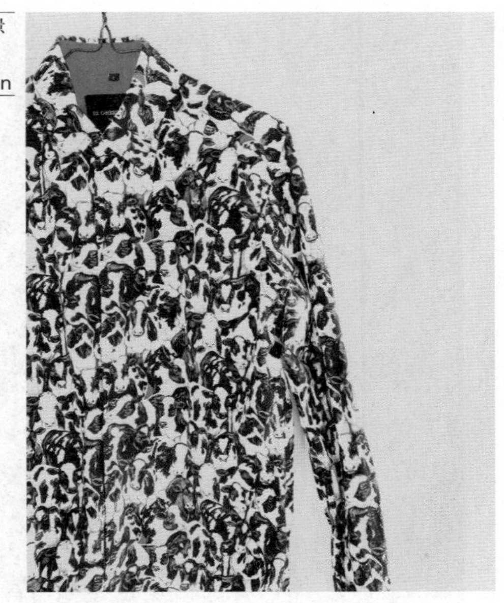

2019年、数々の賞を受賞した『ぼくはイエローでホワイトで、ちょっとブルー』の著者ブレイディみかこさんの本を5冊購入して、正月は読書三昧の日々を過ごしました。日本で生活していて、最近なんか世の中おかしいなあと思っていた答えの断片が、著者の住むイングランドのブライトンの地べたからの体験を読むことで見えてきました。特に感じたのが、イギリスのUK離脱の賛否を問う選挙の話です。左派対右派ではなく、ミドルクラス対ワーキングクラスでもなく、白人対移民でもなく、現在のイギリスは多様性の中で生きているんだなと感じました。写真のシャツは3年前にロンドンのSOHOで買ったシャツ。今年の干支シャツです。このシャツをデザインした店長のオッサンは、スキンヘッドで靴はドクターマーチン、Tシャツはノー・フューチャー、でも笑顔がとっても素敵でした。ユーモアセンスが大事ですね。

風憩の風景
032
Products

オレンジ色の街灯りと広場を照らす青白い灯り

長野県茅野市

雪の中のソライトの写真を撮りたいなとずっと思ってました。東京で仕事している時、仲間から「長野に納めた現場付近、雪積もってたよ」との電話がありました。前日の大雪で雪は積もっているけど、今は晴れている。早速、車飛ばして現場に直行しました。車停めると現場はマイナス5 ℃。雪の中を10分ほど歩いて現場に到着です。ソライトの照明器具のLEDの色温度は5000 K。青白く光る灯りが地面の雪に反射して周囲全体を照らしていました。遠くに見えるオレンジ色の街の灯りで少し暖かくなりました。

風憩の風景
032
Impression

2021.01.14

かまくらとロウソクの灯り

栃木県日光市

数年前に「湯西川温泉かまくら祭り」を見に行きました。LEDのライトアップは都市でも見られますし、地方でも一大イベントとして開催している処は沢山ありますが、雪でつくった小さなかまくらの中に、ロウソクの火だけのシンプルな灯りと河川敷に配置されたこの景色は、寒さの記憶と供に強く印象に残っています。宿に帰っての温泉が最高でした。

風憩の風景
033
Products

触ってやさしい再生木材の手すり

東京都豊島区

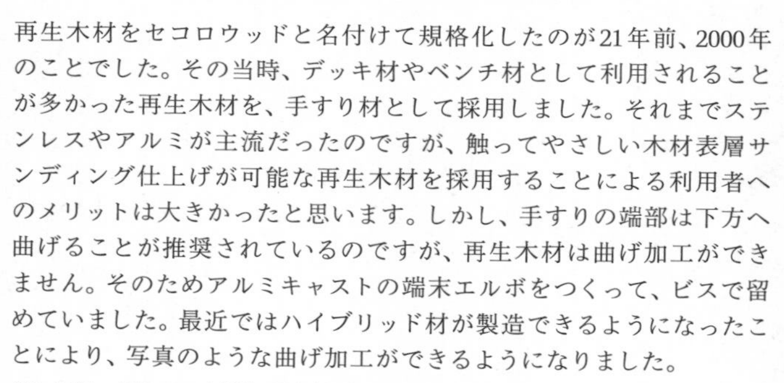

再生木材をセコロウッドと名付けて規格化したのが21年前、2000年のことでした。その当時、デッキ材やベンチ材として利用されることが多かった再生木材を、手すり材として採用しました。それまでステンレスやアルミが主流だったのですが、触ってやさしい木材表層サンディング仕上げが可能な再生木材を採用することによる利用者へのメリットは大きかったと思います。しかし、手すりの端部は下方へ曲げることが推奨されているのですが、再生木材は曲げ加工ができません。そのためアルミキャストの端末エルボをつくって、ビスで留めていました。最近ではハイブリッド材が製造できるようになったことにより、写真のような曲げ加工ができるようになりました。

※ハイブリッド材＝アルミ形材＋再生木材表層サンディング仕上げのこと。

風憩の風景
033
Impression

2021.01.21

日本の生活文化、椅子のように座る床

千葉県香取市

靴を脱いで床に上がる。日本で生活していて当たり前のように行っている一連の行為について考えることが、数年前から増えています。僕が住んでいる家（この写真とは違う）には土間（GL）があります。そこから400mm上がったところに、上がり框（かまち）に連なった床（GL+400）があります。僕はそこに座って、靴を脱いだり履いたり、夏は玄関を開放してビールを飲んだりしています。その時の床は、座る家具である椅子として使用しています。床は杉の200巾を無塗装で使用しているため、今では夏目が削れて浮造りができています。その床は椅子の座面ともいえます。「床が座面」。椅子で生活する西洋では考えられないことでしょうね。このテーマはまだまだ深く掘り下げたいです。

風憩の風景
034
Products

樋門に欠かせない高欄と門扉

東京都多摩川

堤防を横断する水路のことを樋門(ひもん)、樋管(ひかん)といいます。樋門はゲートの上げ下げにより水位の調整を行いますが、ゲートの上に操作台や上屋があり、そこへ行くための管理橋などで構成されています。あまり知られていませんが、僕たちはこの樋門に設置されるアルミ製のSP種強度の高欄や門扉を製作しています。樋門の形状も様々ですので、その現場に応じたオーダー対応で一から図面を作成して製作します。最近は台風に伴う浸水被害が増えてますので、樋門の重要性も高まってくると思います。

風憩の風景
034
Impression

2021.01.28

ポートレート撮影

東京都墨田区

ミュージシャンの友達から、新しいアルバムのジャケット写真の撮影依頼がありました。普段は製品の撮影を行っているスタジオで、久しぶりのポートレート撮影です。半世紀に渡り自分のコトバを自作の曲にのせて歌ってきた彼とは、20年ほどの付き合いです。その彼とファインダー越しに対峙しました。いつもは冗談ばかり連発してユーモアたっぷりに場を盛り上げる彼ですが、このときは表現者の顔になっていました。1時間ほどの撮影でしたがとても疲れました。良い写真が撮れた心地よい疲労感と安堵感を味わいながら、2人で電車道を歩きました。

風憩の風景
035
Products

4本脚にこだわったパーゴラ

熊本県菊池市

アルミ支柱のルーバーパーゴラなので「アルーバー」。いつものように深く考えずにネーミングし、17年前にアルーバーは発売されました。3m×3m×H2.5mのスクエアな4本脚のフォルムに、セコロウッドのルーバー材で構成されているシンプルな製品です。当時はキャンティレバーのパーゴラが主流でしたが4本脚にこだわって開発しました。今ではルーバー材をアルミにしたり、支柱にセコロウッドを装着したり、災害時用のテントを装着できるようにしたりと、色々なバリエーション展開をしています。この現場では駐車場がある背面にルーバーを装着し、前面に流れる川を借景として楽しめるようにしています。屋根材はアルミ形材を使用して雨をしのげるようにしました。

風憩の風景
035
Impression

2021.02.04

デザインの本質を考えさせられる昭和レトロ

東京都千代田区

僕が喫茶店（カフェではない）に出入りするようになった頃は、その店のオリジナルマッチというのがどの店にもありました。デジタルでデザインする時代ではないので、どの店もオリジナルの文字（フォント）を手書きで描いてデザインしてそれを印刷していました。この写真は大正から昭和にかけて配布されてたレトロなマッチ箱です。こんなお洒落なマッチ箱は僕の時代には無かったですが、漢字、ひらがな、カタカナ、アルファベット、それぞれの文字に工夫がなされていて、身体を使ったデザイン作業の大切さを感じています。

風憩の風景
036
Products

ルーバーサイン
東京都台東区

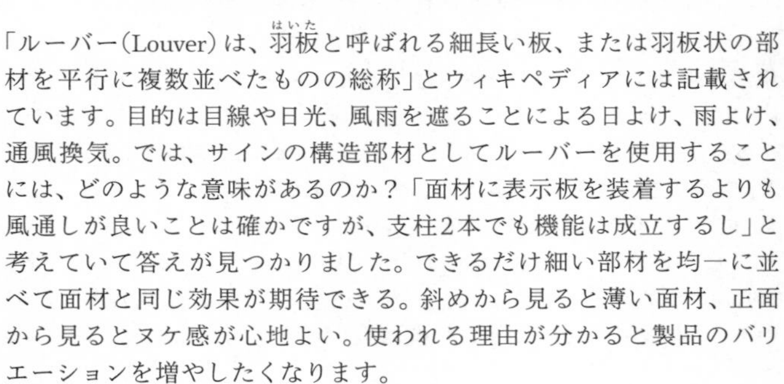
「ルーバー(Louver)は、羽板と呼ばれる細長い板、または羽板状の部材を平行に複数並べたものの総称」とウィキペディアには記載されています。目的は目線や日光、風雨を遮ることによる日よけ、雨よけ、通風換気。では、サインの構造部材としてルーバーを使用することには、どのような意味があるのか？「面材に表示板を装着するよりも風通しが良いことは確かですが、支柱2本でも機能は成立するし」と考えていて答えが見つかりました。できるだけ細い部材を均一に並べて面材と同じ効果が期待できる。斜めから見ると薄い面材、正面から見るとヌケ感が心地よい。使われる理由が分かると製品のバリエーションを増やしたくなります。

風憩の風景
036 Impression
2021.02.11

フィルムの時代
東京都港区

38年前の写真が出てきました。ニコンＦＭにTri-Xを詰め込んで撮っていました。撮影終わると暗室でフィルム現像〜乾燥〜ベタ焼き〜プリントです。これはフィルムに金属片でキズをつけて面白がっていた頃の作品です。撮影している対象は激しい日差しの壁の表層と花の影。今もこんな写真ばかり撮ってます（デジタルやけど）。撮りたい対象はなんも変わっていませんが、Photoshopでキズをつける気にはなれません。マウスではない自分の手を動かして、ディスプレイで見えている映像ではなく、自分の目が直接みている実際の映像にキズをつけるのが面白かったんです。先週工場に行ってスタッフの作業中を撮影しました。あらためて実際手を動かして何かをつくるって素晴らしいことだと思いました。

風憩の風景
037
Products

使われている証、ツルツルな表面

東京都台東区

再生木材セコロウッドは、サンディング仕上げを施すことにより木質感を出しています。20年前にセコロウッドを扱い始めた頃は、廃木材と廃プラスティックの押出成形品であるこの材料をいかにして本物の木材に近づけるかに注力していました。その過程の中でサンディングという仕上げ方が確立されていきました。現在は再生木材はすっかり認知されてサンディング仕上げが当たり前になっています。この現場は東京の上野公園です。毎日の利用者のおかげでツルツルに磨かれています。プラスティック素材感丸出しですが、使われている喜びを感じます。

風憩の風景
037
Impression

2021.02.18

35ミリフィルムの秘密

東京都千代田区

「35mmフィルムの比率がなぜ3:2なのか？」。答えは「黄金比（1:1.6）に近いから」だと思ってましたが、間違いでした。映画撮影用のスプロケット（フィルムの左右にある巻き取り用の穴）付き映画フィルムをスチルカメラに使用しようと思った時に、映画用はスプロケット4つ分を1コマとしていたものを、スチルカメラでは画質が劣るために2コマ分、すなわちスプロケット8つ分を1コマとして使用したため3:2になったということを最近読んだ本で知りました。今はデジタルだから縦横比に制限はないけれど、やっぱり3:2に落ち着きました。撮影後にトリミングしないで、撮って出しが好きです。

風憩の風景

038 Products

アルミ形材のエイジングについて考えたい

群馬県高崎市

この写真のシェルターは「コアパネルーフ」という製品です。屋根材にはアルミ形材を使用しています。クライアントから屋根材の比較表を求められた時、耐久性や施工性、経済性の他にアンチエイジング性能という項目を付け加えています。良い意味でも、悪い意味でもアルミ形材はいつまでもツルツル感が持続するのです。パブリックスペースに設置される製品をつくっている以上、いつまでも新品の風合いのままなのは良いことなのですが、見方によっては重厚感のないチープな印象を与えることも否めません。経年劣化しにくい素材であるアルミ形材のエイジングに、今とても興味があります。

風憩の風景
038
Impression

影を撮るモノクロ写真

東京都渋谷区

2021.02.25

今年はデジタルカメラでモノクロ写真を撮ってます。昼休みにカメラぶら下げて、近所をほっつき歩いてスナップ写真撮るのが日課になってきました。ファインダーの中の映像もモノクロですので、白と黒とグレーしか色がありません。お気に入りの場所を見つけて、モノの影と人が気持ち良いタイミングにフレーミングされるまで気長に待ってシャッター押してます。

風憩の風景
039
Products

手のひらに残る手作業の感触

埼玉県行田市

僕たちの仕事は「穴を開けること」と言っても過言ではありません。会社を設立して22年、毎日穴を開けてきました。部材同士を繋ぐために穴を開けて、ボルトナットで接合する。タップ（ねじ切り）加工してボルトで接合する。ボルトの直径と穴の大きさの関係を考えてきました。工場で接合する場合の最適な穴の大きさは？ 施工現場で接合する場合は？ 僕たちの場合、製品の設計をするということは穴の大きさを決めるということです。今ではCNCによる自動化に変わりましたが、設立当初はボール盤にドリルを装着して、人力で開けていました。ボール盤だと穴を開ける時、材質によって力の入れ方が違います。右手の手のひらにその感触はいつまでも残っています。ちなみにアルミ手すりP-GT-2011の場合、1mあたり38発の穴を開けています。

風憩の風景
039
Impression

2021.03.04

色のない夜景

東京都荒川区

日が沈んで空の色がオレンジからブルーになる頃、街に人工的な灯りが灯り始めます。モノクロで撮影すると色温度はまったく関係なくなります。自然な光も人工的な灯りも同じ画面の中で白く表現されます。すると、普段見慣れている街の印象が変わります。

※CNC（Computer Numerical Control）＝コンピューター数値制御のこと。

風憩の風景
040
Products

ふたまたかけてるタフなやつ

東京都中央区

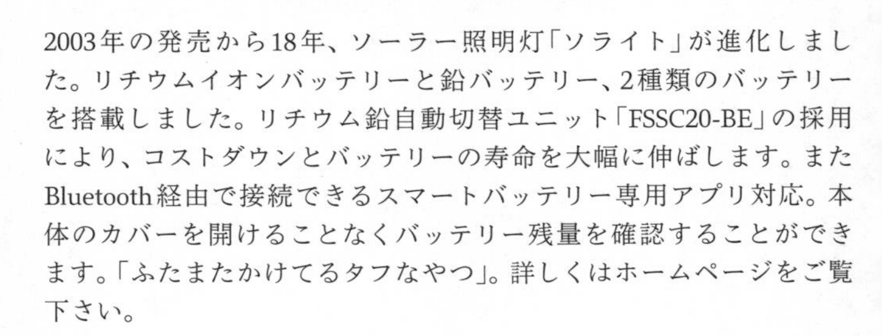

2003年の発売から18年、ソーラー照明灯「ソライト」が進化しました。リチウムイオンバッテリーと鉛バッテリー、2種類のバッテリーを搭載しました。リチウム鉛自動切替ユニット「FSSC20-BE」の採用により、コストダウンとバッテリーの寿命を大幅に伸ばします。またBluetooth経由で接続できるスマートバッテリー専用アプリ対応。本体のカバーを開けることなくバッテリー残量を確認することができます。「ふたまたかけてるタフなやつ」。詳しくはホームページをご覧下さい。

風憩の風景
040
Impression

2021.03.11

満開の桜と新緑の緑、そして白い帽子

東京都杉並区

春になると、桜の写真を撮りたくなるのは毎年変わりません。でも桜の写真で「撮れた！」って思える作品は少ないです。フレームの中に、桜以外の要素をどんな風に入れ込むかがポイントだと思います。この作品は水の流れ、散った桜の葉、背景には満開の桜、新緑の草、そして「白い帽子」。この構図で撮影するために、小川の川面すれすれにカメラを配置して、ノーファインダーで撮りました。撮った後バランスを崩して川に落ちてしまいました。靴とズボンはビショビショでしたが、カメラは無事でした。撮影したカットを確認して、このカットが撮れていたので良かったです。

風憩の風景
041
Products

トン、タタタン

東京都大田区

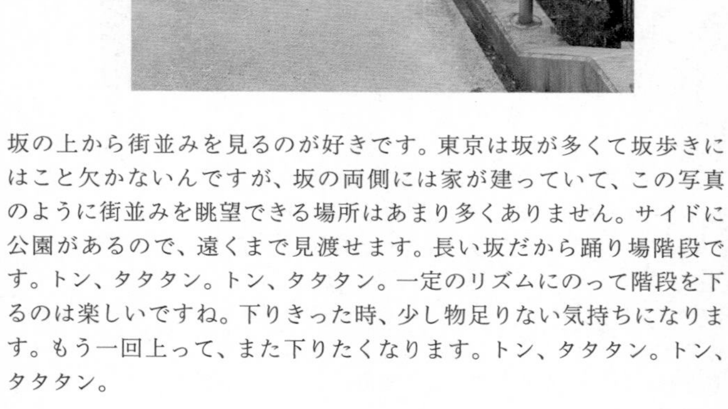

坂の上から街並みを見るのが好きです。東京は坂が多くて坂歩きにはこと欠かないんですが、坂の両側には家が建っていて、この写真のように街並みを眺望できる場所はあまり多くありません。サイドに公園があるので、遠くまで見渡せます。長い坂だから踊り場階段です。トン、タタタン。トン、タタタン。一定のリズムにのって階段を下るのは楽しいですね。下りきった時、少し物足りない気持ちになります。もう一回上って、また下りたくなります。トン、タタタン。トン、タタタン。

風憩の風景
041
Impression

自然がつくる経年の魅力

東京都青梅市

2021.03.18

蹴上が50mm、踏みしろが400mm、緩やかにカーブしてる階段。スロープと呼んでもいいような優しい階段です。蹴上の立ち上がりの部分のジメジメしたところに苔が育成して、段鼻を明示してます。足の踏み外しの注意喚起を苔がやってくれています。年季の入ったコンクリートの黒くなった表層とのコントラストも鮮やかです。製品開発のヒントです。

風憩の風景
042
Products

淀屋橋の航路灯

大阪府大阪市

淀屋橋に宿泊しました。何気なく橋の上から土佐堀川を眺めてたら、見たことのあるガラスが目に入りました。僕たちが独灯に使用している、エッジを面取りカットした2Wのソーラーパネルです。すぐ思い出しました。6年前にソーラー式に改修した航路灯です。自然石の高欄に配線も必要なくスッキリと収まってます。チェックイン後暗くなって確認に行きました。もちろんちゃんと点灯していました。川を通行する船の役に立ってうれしかったです。

風憩の風景
042
Impression

日常の営みを俯瞰する

東京都千代田区

2021.03.25

天気の良い日は事務所の9階のバルコニーのベンチに座ってカメラを構えてます。矢印のラインと横断歩道のストライプ、歩行者とその影。何か劇的な一瞬が訪れないかと心待ちにしています。今日は何も起きませんでした。

風憩の風景
043
Products

製品の設置場所を巡る撮影旅行

京都府宇治田原町

年度末が終わると、日本全国に設置した僕たちの製品の撮影旅行が始まります。製品に関わったすべての人たちに少しでも感動してもらえるように、限られた時間の中でのベストカットを目指してシャッターチャンスを狙います。この作品を撮影した10年前のことは良く覚えています。通常はスタッフが一緒について回ってます。しかしこの時は僕を下ろして、スタッフは別の現場に向かいました。一人で誰にも気兼ねせず撮りきるのが好きな僕は、こんなシチュエーションが好きです。ブラブラ現場を歩くなかで、水田と田植えと新緑の里山がファインダーの中に収まる場所を見つけました。ほんとうに好きな写真です。ちなみに奥に見えるの黒いポールがソーラー照明灯「ソライト」です。

風憩の風景

043

Impression

2021.04.01

3ミリを捉える

東京都墨田区

近日中に発売を始める新製品の撮影をスタジオで行いました。新型のアルミ押出形材の表面に施されたリブをキチッと表現したいと考えて、色々なライティングを試みました。幅3mm深さ0.5mmのリブは、この製品の持つポテンシャルを決定する大切な要素のひとつです。スタジオのライトを1灯だけ使用し、照射する位置、光量、角度等を少しずつずらしながら撮影します。背景の黒とアルミ材の階調が、リブの存在を強調するカットをセレクトしました。

風憩の風景
044
Products

隅田川テラス

東京都中央区

隅田川の防潮堤の内側に作られた遊歩道、「隅田川テラス」は河口から14kmに渡って整備されています。でも隅田川から分かれる支流には橋が架けられていないので、遊歩道テラスは途中で途切れています。歩行者は防潮堤をまたいで、堤防を上がり一般の道の橋を渡ってまた下りていきます。不便だという利用者からの声を受けて、昨年末に月島川水門に橋が架かりました。この橋と橋までのスロープをアルミ構造の支柱やササラ、高欄、セコロウッドの床板や手すりで製作しました。これでテラスを連続して散歩ができるようになりました。次は大島川水門に橋が架かります。

風憩の風景
044
Impression

2021.04.08

用の景

東京都中央区

規則正く打ち込まれたリベットがダウンライトに照らされて、モダンアートのようでした。半球状のリベットに光があたり、光源との距離によって影の長さが変化する。半分から下は光が反転して、光が当たっているところだけ反射してます。色を使ったライトアップが多い隅田川の橋梁の中で、かちどき橋は白を基調にした落ち着いた陰影でした。次回スタジオで撮影する時に参考にしたいと思いました。

風憩の風景
045
Products

新宿中央公園「眺望のもり」

東京都新宿区

かつて淀橋浄水場だった場所に昭和35年(1960)、新宿副都心建設事業の一環として計画され、昭和43年に都立公園として開園された新宿中央公園。今年の春に、副都心のビル街を抜けて新宿駅までを一望できる広場に「眺望のもり」として整備されました。僕たちはその場所に、天然木のラジアータパインを無水酢酸処理したアコヤ(Accoya®)を使用したベンチやセコロウッドの手すり、ウッドデッキ等を制作しました。緑に囲まれた中でベンチに座って、鳥の鳴き声を聴きながらビル街を眺めて過ごすひとときは、大都会ならではの時間を過ごせます。

Accoya®は、Accoya Group・Titan Wood の登録商標です。

風憩の風景
045
Impression

2021.04.15

ミーハー精神で撮る地球のバンドエイド

千葉県市川市

河川護岸などの土が崩れるのを防ぐ法面保護に用いられる積みブロック。規則正しく並べられたコンクリートブロックを見ると撮りたくなります。土の上の表層としてのコンクリート。僕たちの安全を守っているコンクリート。地球にとってのバンドエイドの役割ですかね。でも写真を撮るときは面白いから撮る、かっこいいから撮る、というミーハー精神は忘れないようにしてます。

風憩の風景
046
Products

箱型でひとりでは運べない「ハコベン」

東京都新宿区

2018年に発売開始した箱型ベンチ「ハコベン」の設置事例が増えてきました。文字通り座板以外の部分にも面材を装着して箱型にしているのでハコベンなのですが、もうひとつネーミングの由来があります。まだ規格化する前にオーダー対応で製作した時、九州出身の製作スタッフが「これは重たい。一人じゃ運べん！」と言ったのです。箱型で一人じゃ運べない「ハコベン」です。上の写真はソファ型です。深い座面と幅広いアームレストが、普通のベンチには出せない特別感を醸し出しています。

風憩の風景
046
Impression

2021.04.22

製作の現場、鋳物工場で浮かぶアイデア

群馬県高崎市

僕は工場に行くとまずスクラップ入れを覗いて、製品開発のヒントにする話を紹介しましたが、最近はアルミ形材を切断した時に発生する切粉（アルミの粉）の処分についてあれこれ考えてます。当然僕らもスクラップ屋さんに引き取ってもらっているんですが、その後の追っかけについてはあまり気にしていませんでした。今回調査した中で色々なことがわかってきたので、何か製品に繋がらないかと付き合いのあるアルミ鋳物工場を見学してきました。久しぶりの鋳物工場の現場です。銀色に輝くアルミの液体と鋳物工場独特の香りに興奮して、写真撮りました。帰りの車中でいくつかの製品アイデアが浮かびました。

風憩の風景
047
Products

地元でつくる独灯ユニット

東京都大田区

「独立電源と景観製品」。僕たちのプロダクツは、この2つをテーマに開発されています。総合カタログである「コミュニティファニチュア#3」には、100アイテムを超えるプロダクツが掲載されています。それらの製品は、僕たちの工場で完成されたかたちで現場に納品されますが、ユニットで納品して現場で完成するデバイスタイプの製品もいくつか掲載されています。写真は「DKTG-UNT」という型番の照明ユニットです。通称「地元の独灯ユニット」。地元の素材を使ったフットライト用のデバイスです。今回は現場打ちのコンクリートプランターに装着しました。鋳物工場の製作部品を僕たちの工場で加工し、ガラス製の太陽電池やニッケル水素電池をアセンブリして納品。施工業者さんとの綿密な打合せの結果、イメージ通りの作品に仕上がりました。

風憩の風景
047
Impression

2021.04.28

エッジを立たせる職人工場

群馬県高崎市

製品をデザインする時、気にするのはエッジです。ピン角、面取り、アール。イメージする佇まいにするには、エッジの収まりがキモになります。砂型鋳造製品の場合はエッジはダレることが多いのですが、僕のわがままに付き合ってくれるO社長の工場は、細くてエッジの立った仕上がりでいつも感心してしまいます。鋳肌のテクスチャーと研磨した場合のコントラストの違いやアルマイト加工による色の違いなど、アルミ鋳物について色々な話を聞かせてくれます。感謝です。

風憩の風景
048
Products

先代の意匠を引き継ぐものづくり

埼玉県吉川市

初代吉川橋が架けられたのが明治7年（1874）。その後、昭和2年（1927）に架け替えられた橋が今年再度架け替えられました。その高欄を僕らが制作しました。先代の意匠に合わせて欲しい、軽くして欲しい、という要望に超薄肉コンクリートのHPCという素材と、僕らの得意なアルミ形材を使って応えました。HPCとは、鉄筋やPC鋼材などのように錆びることのないカーボンワイヤーを緊張材とし、プレストレスを導入して凝固させた膨張剤入りコンクリートです。38mmの薄さのコンクリートに、先代の高欄に使用されていた表面の洗い出し仕上げを表現しています。

風憩の風景
048
Impression

2021.05.06

マネキンが写す時代性

東京都中央区

15年ほど前から数年間、花見が終わって梅雨の時期に入る前の今ぐらいの時期、仕事帰りにショップのディスプレイを撮影して帰るのを1年のルーティーンにしていました。人通りがなくなる終電間際まで粘って撮影してました。マネキンの表情が、その年その年で微妙に変化するのを定点観測するのも楽しかったです。このマネキンは2010年の表情です。covid-19もない、東日本大震災前の日本は、何世紀も前の昔のようです。

風憩の風景
049
Products

避難場所に設置された「ソラチャージ」

大分県佐伯市

南海トラフ巨大地震が発生した際、大分県内で最大の被害が予想されている佐伯市に「長島防災高台」が完成しました。その避難場所にソライト、ソラーポ等のお馴染みの独立電源製品と一緒にソラチャージが設置されました。この製品は照明の機能以外に、スマートフォンの充電はもちろん、USBポートを搭載したDC5V電源機器の充電にも対応しています。もちろん独立電源です。

風憩の風景
049 Impression

2021.05.13

空の青と麦の緑、江北町の原風景

佐賀県江北町

「佐賀県江北町通学路交通安全対策事業」として、ソライトが設置されている現場に行ってきました。「この辺りに数十基設置されていますよ」と言われて車を降ろされました。その通学路の周りには、麦畑が広がっていました。地元の人に聞いたところ、麦は今月末に収穫してその後はお米を蒔いて二毛作だそうです。ここで獲れる二条大麦の作付け面積は日本一だとか。空の青と麦の緑が鮮やかでした。

風憩の風景
050
Products

サドル掛けタイプのサイクルスタンド

茨城県大洗町

一般県道茨城大洗自転車道線は、茨城県東茨城郡茨城町から大洗町までの約22kmの自転車道です。通称「涸沼自転車道」と呼ばれています。そのルートの大洗タワー近くの休憩スポットに、僕らのサイクルスタンド「TSY-CS-2012」が設置されました。サインを併設しトップビームにサドルを掛けるスポーツサイクル用のサイクルスタンドです。サドル掛けタイプはまだ馴染みが薄いので、サインが無いと鉄棒と間違って逆上がりを始める子供たちが現れるため、価格はアップしますがサインは必須です。でも、駐輪スタンドが無いロードバイクを駐輪するにはサドル掛けがベストですね。

風憩の風景
050
Impression

2021.05.20

春の到来を写す

青森県十和田市

十数年前、緊急事態宣言が発令されていなかった時代、暖かくなった頃に奥入瀬渓流に旅しました。勢いよく流れる雪解け水と、そこに点在している白い水芭蕉の花。心が動いて夢中でシャッターを切った中の1枚です。葉っぱが落ちたブナの森の中に、太陽の光が差し込んで雪を溶かして花が咲く。「春になる」ということをリアルに体感した瞬間でした。

風憩の風景
051
Products

震災の記憶を伝承するメモリアルパークに採用

福島県南相馬市

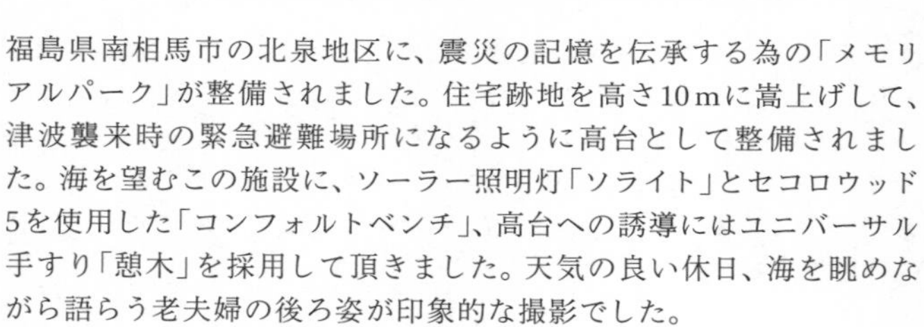

福島県南相馬市の北泉地区に、震災の記憶を伝承する為の「メモリアルパーク」が整備されました。住宅跡地を高さ10mに嵩上げして、津波襲来時の緊急避難場所になるように高台として整備されました。海を望むこの施設に、ソーラー照明灯「ソライト」とセコロウッド5を使用した「コンフォルトベンチ」、高台への誘導にはユニバーサル手すり「憩木」を採用して頂きました。天気の良い休日、海を眺めながら語らう老夫婦の後ろ姿が印象的な撮影でした。

風憩の風景
051
Impression

11階のカエル「ジュンちゃん」

東京都荒川区

2021.05.27

11階のマンションのベランダにカエルが現れました。ガビオンの籠に軽量土壌を詰めてプランターをつくり、そこに里山の草花を咲かせています。半年かけて育成してもらい、4月末に11階まで運び込みました。昨日、水やりをしていたら3センチほどのカエルが現れました。トノサマガエルかなー。ダルマガエルかなー。どうやって11階までやってきたんだろ。興味は尽きません。僕の好きな漫画家みうらじゅんの「かえるくん」にちなんで、名前は「ジュンちゃん」にしました。

風憩の風景
052
Products

斜面を頂上へと誘導する手すり

東京都青梅市

梅の名所として市民に親しまれている「梅の公園」に、ユニバーサル手すり「憩木」を設置しました。築山の斜面に階段を設置して、全体が見渡せる頂上まで誘導します。大まかな線形だけを決めて手すりを設置していくこのような現場の場合は、フレキシブル金具が威力を発揮します。傾斜からレベル（踊り場）になったり、ジグザグに曲がったりしても、このフレキシブル金具があれば現場の線形にあわせて対応ができます。支柱のピッチは基本は2mですが、それ以内の場合は現場で手すりを切断して納めていきます。切断面の露出を防ぐ手に優しいカバーパイプも用意されているので、利用者が触っても安心です。

風憩の風景
052 Impression

影がつくる歩道の風景

東京都港区

2021.06.03

打合せ前の空いた時間30分、ランチタイム時の都心をカメラぶら下げてブラブラ散歩。「本物の木材を使用した内装の壁材が増えたなあ」とか、「屋外のウッドデッキとベンチと植栽の配置が気持ちいいなあ」とか思いながらパチパチやってました。とあるカフェの店舗の入口の軒。木材のパーゴラの梁と母屋に絡まった植栽の葉っぱが綺麗に剪定されて、真上からの太陽の光による見事なコントラストの影がつくられていました。風が吹くと葉っぱが揺らぎます。心地よいです。

風憩の風景

053

Products

傾斜地に設置した張り出しデッキ

神奈川県伊勢原市

傾斜地にデッキを張り出して前面の景色を楽しむ。このような事例が最近増えています。デッキの左右にも景色が広がり、身体が宙に浮いている感覚が味わえます。デッキに段差をつけて、ベンチとして利用されるように設ています。周りにはアルミと再生木材で製作された防護柵「SWGT」を設置して、転落を防ぎます。張り出しデッキとしての機能はこれで十分ですが、デッキ側面にも板を張って箱状にすることで、下から見られた時に構造体が隠れます。四角い箱が傾斜地に埋め込まれたように見えてきました。これって巨大なハコベン？

風憩の風景
053
Impression

2021.06.10

枠に収まったデコボコ感とズレ

京都府京都市

自室の壁に何かアート作品を飾りたいなあと考えてパラパラと昔の写真をクリックしていたら、5年前の6月、京都国立近代美術館で見たポールスミスの展覧会の中の写真が出てきました。作品の内容は様々で、それらを鑑賞するのは彼の頭の中を覗いているようで楽しかったです。もうひとつ感心したのが、それなりに整列された長方形（長方形の縦横比は様々です）の額縁と、作品を引き立てる白い額装マットのサイズ。額縁と額縁の隙間。PCの画面で写真をレイアウトする時のピッタリ感じゃなくて、モノとしての額縁のもつデコボコ感や微妙なズレが何か落ち着く。でも壁に飾られた額縁の全体の天地と左右はピッタリ揃っていて気持ち良かったです。

風憩の風景
054
Products

防護柵の設置基準・同解説の改訂

福岡県田川市

令和3年3月、公益社団法人日本道路協会発刊の「防護柵の設置基準・同解説」に「ボラードの設置便覧」が追加されて改訂されました。この「防護柵の設置基準・同解説」は、昭和40年に初版が発行されその後6回の改訂があり、今回が7回目の改訂版となりました。僕たちが製品を開発していく時の設計条件を決定するための基準となる、大変重要な解説書です。今回は交差点内に設置されるボラードの定義や種類、設置箇所の決定条件等、今まで規定されていなかった部分を解説しています。特に、ボラードの種別と性能の考え方が規定されたことに意味があると思います。僕たちが製作している「バリアフリーポール」というボラードは、耐衝撃性能を持つ「H型ボラード」ではなく歩車道を区別する「N型ボラード」に該当します。22年間販売を続けている大変息の長い製品です。今後は自動運転に対応したボラードの開発に着手していきたいと考えています。

風憩の風景
054 Impression

2021.06.17

朽ちていく美

静岡県御前崎市

梅雨入りする前に少しでも施工写真を撮影したいので、朝起きて天気が良いとカメラぶら下げて車に乗り込みます。先日、静岡県の御前崎灯台の広場に設置された転落防止柵を撮影した帰りに、海沿いのパーキングに車を停めて海岸を歩きました。沢山の流木が流れ着いた海岸を撮影しながらふとこの流木が目に入りました。シルバーグレーの表面に深く刻まれた皺。朽ちていく過程で自然に出来上がったカタチ。波を受けて骨材が剥き出しになった蹴上げ部のコンクリートの階段と相性良し！

風憩の風景
055
Products

徒歩でしか越えられなくなった上野の山

東京都台東区

銀座通りが日本橋を過ぎると中央通りに名前が変わり、そのまま進むとJRの高架をくぐり上野駅付近で国道4号(日光街道)に合流します。高架をくぐる手前を右にカーブせずに直進すると、上野公園に向かって登って行きます。事務所がある神田からタクシーに乗って、自宅がある荒川方面に向かうよう指示すると「上野の山越えでいいですか?」って聞かれます。「それでお願いします」と言って、この写真の通りを登って帰路についてました。僕たちが製作したSP種高欄「SP-2K」の設置されたその通りが、上野駅公園口の移設工事により今年の3月で南北に分断されてしまいました。公園口のロータリーで来た道を下るしかありません。山越えができなくなりました。今は上野の山を登って鶯谷に下って行く、江戸を感じるこの体験を徒歩で味わってます。

風憩の風景
055
Impression

2021.06.24

公共に取り入れたい民間の感性

東京都渋谷区

裏原宿にあるアウトドアショップに昇る階段。鉄製の150×150のH型鋼の支柱のストリップ階段です。蹴込みがなく簡素な踏み板が軽快な印象を与えてくれます。手すりの支柱のフラットバーが踏み板の受け材になっていて、構造的にも理にかなってます。踏み板は無骨感のあるハードウッドの天然木材。コールテン鋼ではない普通の鉄と表面の錆。毎日触って錆を落としてるのかな？ 綺麗です。僕たちのつくるアルミ製の階段にはないヌケ感が気持ち良いです。民間の仕事だからできる空間だとは思いながら、僕たちが設置する公共工事のパブリックスペースでも実現したいなあと思いました。

風憩の風景
056
Products

鉄と木材を主素材にしたブランド「シツラエ」

東京都墨田区

鉄と木材を主な素材として展開する「シツラエ」ブランドを立ち上げて5年経過しました。メインの素材は熱押型鋼の40 H断面の材料です。溶融亜鉛めっきの上にリン酸塩処理を施してベンチや手すりの作品が採用されてきました。CLTに乾式AZN処理を施した3mスパンのベンチです。150角のCLTの表面には直交した杉材が数枚接着されています。柾目と板目が混在した表情はCLTならではのグラフィック表現になります。たまにアルミや再生木材以外の材料を加工すると、色々な気づきがあって開発のヒントになります。

風憩の風景
056 Impression

2021.07.01

ビス止めの美

埼玉県行田市

工場行って、現場うろついて写真撮ってます。アルミ材の接合は、溶接よりもビス止めが主流です。横の材料と縦の材料を接合する時は、形材に空いているピンホールをめがけてビスを打っていきます。通常はナベビスを使用しますが、ビスの上に別の材料が乗ってくる場合には皿ビスを使用します。その時皿ビスが材料の厚みの中に収まるように、ざぐり加工を施します。綺麗に落ち込んだ皿ビスをみると気持ちよくなりました。曲げ加工した材料は、最近売り出し中のハコベン空豆の材料です。

風憩の風景
057
Products

天然木材のような表情と不変性を実現

大阪府堺市北区

10年前から入居しているオフィスのエレベーターが、リニューアルされました。色々な機能が最新のサービスに変わりました。でもエレベーター内の狭い空間の中で一番の違いを感じたのは、壁の色やテクスチャーです。木目のシートに変わっていました。落ち着いた色合いの広葉樹のシートには、微妙な凹凸も施されています。僕たちが製作しているユニバーサル手すり「憩木」にも、セコロラップを装着したF7という製品があります。バーチ色のフェイクのシートですが、不燃認定を受けている優れものです。耐候性に優れていて、いつまでも新品のような色合いを感じさせてくれます。自然素材のもつ多様な表情と、色落ちしない再現性は再生木材や天然木材では表現できない、21世紀のマテリアルだと感じています。

風憩の風景
057
Impression

2021.07.08

些細なことだけれど大事なこと

東京都千代田区

10年前から入居しているオフィスから一番近かった銀行が閉店し、5分ほど離れた別の店舗と統合されました。その店舗は1929年に建てられ、重要文化財に指定される立派な外観の銀行です。ドアマンに案内されATMで操作しようとした時ふと目に入ってきたのが、大理石の重厚な列柱に両面テープで貼られたプラスチック製のコンセントボックスと配線カバーです。うーん、僕だったら何使うかなあって考えました。結論は、カバーは真鍮の角パイプ10×20、ボックスは真鍮鋳物。フタの部分にこの銀行のロゴマークを彫り込み、縦位置で使用。取付位置は、カバーは緑の石まで上端を下げて大理石との見切り材として見せる。ボックスとカバーは上端合わせ。これで重要文化財の配線として成立するかな？

風憩の風景
058
Products

イルミネーションを身近に

神奈川県伊勢原市

LEDが一般的な光源として認知されるようになり、価格も下がったことで、公園でのイルミネーションのイベントが全国各地で行われています。僕たちのところにも独立電源でイルミネーション装置を設置したい、という要望が多く寄せられるようになってきました。いかにして人目につくような仕掛けができるか、が問われます。この製品「ミスティカルソラーポ」は、透過する鏡面シートと自動変化フルカラーLEDを組み合わせて製作しました。一定の時間の経過とともにLEDの色が変化し、その光がシートに当たって幻想的な雰囲気をつくり出してくれます。昼間は太陽の光が反射して、見る角度によって色が変化します。花壇に咲いた草花に対応するかのような動きを見せてくれました。

風憩の風景
058
Impression

2021.07.15

偶然の屋外暴露試験

京都府京都市

2017年、打合せの空き時間に訪れた京都にある東本願寺の地覆です。真ん中から外側の太陽の光が直接当たるところは茶色に変化して、表面にひびが入っています。内側の平桁の下側は光が当たりにくいため、ひびは入らずに柾目が浮造(うづくり)をつくっています。紫外線で焼けていないので茶色に変化せず、シルバーグレーのままです。この建造物、御影堂は2008年に修復工事が行われているけれど、この高欄は1895年に完成した時のままではないかと思われます。1本の地覆で屋外暴露試験の結果が2種類見られて、得した気分になりました。カメラを縦位置のに構えて、手前にピントを合わせ、1枚の写真で言いたいことを説明できるように撮影しました。

風憩の風景
059
Products

エッジの効いた大谷石と暖かい灯り

長野県飯山市

独立電源フットライト「地元の独灯」は大谷石から始まりました。大谷石は旧帝国ホテルでフランク・ロイド・ライトが採用し、建築材として全国的に広まりました。昔は東京の住宅地を歩いていると、黒い斑点がある大谷石のブロック塀を良く見かけました。10年ほど前、薄暗いバーのトイレの壁材に使用されているのを見た時、カット面のエッジが効いていて地元の独灯ユニットで採用している2.5Wのソーラーパネルと愛称が良いなと思いました。ガラスの面取りカットを幅2mmのコーキングで大谷石の天端と揃えています。内側に籠もる暖かい灯りとは対照的にカット面はシャープです。

風憩の風景
059
Impression

2021.07.29

リサイクルマテリアルとしての廃ガラス

東京都荒川区

2007年、栃木県で素敵な材料と出会いました。蛍光灯廃ガラスや建築材の窓ガラスをリサイクルしてつくる「蛍硝子」、「翠硝子」というマテリアルです。その時は蛍硝子を使って、独立電源とリサイクルマテリアルをひとつのプロダクツとして完成させました。昨日、その時お世話になったF先生に14年ぶりに会いに行きました。2020年から発売予定の、リサイクルガラスを使った新しいプロダクトの話を聞いて頂きました。カレット状態にした特定用途のリサイクルガラスで製作可能かどうか、早速材料を送って試作開始です。この写真は泡が美しいほんのり緑色の「翠硝子」です。

風憩の風景
060
Products

やはり照明が欲しいなあ

東京都江東区

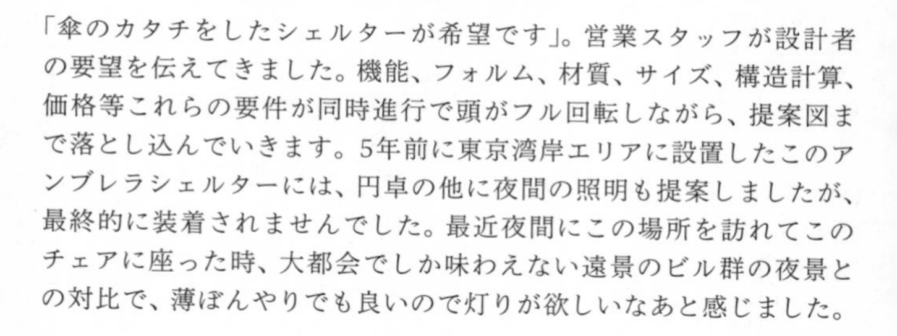

「傘のカタチをしたシェルターが希望です」。営業スタッフが設計者の要望を伝えてきました。機能、フォルム、材質、サイズ、構造計算、価格等これらの要件が同時進行で頭がフル回転しながら、提案図まで落とし込んでいきます。5年前に東京湾岸エリアに設置したこのアンブレラシェルターには、円卓の他に夜間の照明も提案しましたが、最終的に装着されませんでした。最近夜間にこの場所を訪れてこのチェアに座った時、大都会でしか味わえない遠景のビル群の夜景との対比で、薄ぼんやりでも良いので灯りが欲しいなあと感じました。

風憩の風景
060
Impression

2021.08.05

黒の断面と黄色の花

東京都墨田区

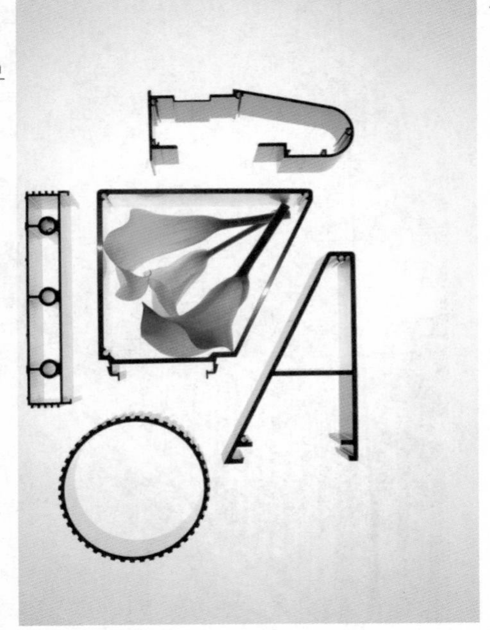

40年前写真スタジオに勤務していた頃、「バック飛ばし」と言って被写体の背景の白いホリゾントにストロボの光を均等に当てて、被写体を浮き上がらせる撮影をよくやっていました。僕は今でもスタジオで製品の撮影をする時は、このバック飛ばしをやりたがりますが今はフォトショップがあるので、撮った後修正すればいいかななんて考えて、ストロボワークは適当です。でもこの写真は修正なし。1人で深夜スタジオに籠もって、ライトボックスにアルミ形材を並べて納得できるまで200カットぐらい撮影しました。黄色い花は駅前の花屋さんで直感でセレクトしました。僕はこんな時はいつも黄色を選んでしまいます。形材の断面の黒とのコントラストが気に入ってます。

風憩の風景
061 Products

適量生産が肝

島根県出雲市

島根半島・宍道湖中海ジオパークに認定されている、出雲日御碕灯台の駐車場に設置された転落防止柵です。通常は地面に据え付けられたコンクリート製の独立基礎（30cm × 30cm × 深さ45cm）に支柱を埋め込んで固定していきます。しかしこの現場では法面部に基礎を据え付けるスペースが確保できないため、支柱の埋め込みの長さを1m程度長くして土の中に打ち込んで固定していきました。僕らの製作する土木製品は現場の状況により色々なイージーオーダー対応が必要になります。規格品を量産して製作し、在庫→出荷ではすべてのお客様を満足させる対応が難しいと考えています。在庫数量と受注生産のバランスが肝です。

風憩の風景

061 Impression

2021.08.12

Strong white

島根県出雲市

明治36年(1903)に設置され、高さ43.65m、海面から灯塔の頭上までは63.30mと日本一の高さを誇る島根半島の最西端の断崖にそびえる出雲日御碕灯台。遊歩道沿いに歩いて行くと、積み木を束ねたような「柱状節理」の石の束を見ることができます。およそ1600万年前に流出した溶岩の冷却収縮によって、できているそうです。灯台の外壁の白と青い空のコントラストが目に焼きつきました。外壁は硬質の石材で、石の色が白いのではなく塗装しているらしいです。塗料に興味が沸きました。調べたくなりました。それほど強烈な白でした。

風憩の風景
062
Products

美しい景観を邪魔しないワイヤー防護柵

島根県松江市

山陰地方を旅してきました。この現場は、明治31年(1898)完成した島根半島東端の地蔵崎の先端にある美保関灯台にある展望デッキです。日本海を眺めながらフレーミングを決めている時、当たり前ですがこの防護柵(SWGTワイヤー)が縦格子のSWGTだったらこの気持ちよさは感じられないだろうと感じました。川や海への転落を防止するために設置される転落防止柵は、安全のことを考えて縦格子を選択するケースが大半です。でも180度に広がる大海原を前にしたこのようなケースの時は、直径φ6のワイヤーを使用した開放感のあるタイプが似合います。そうすればその場所が持つポテンシャルを100%発揮できます。強度については支柱と笠木で十分担保とれています。

風憩の風景
062
Impression

2021.08.19

フォルムで危険を伝える

鳥取県鳥取市

僕らはダム関係の製品も数多く製作しているので参考になればと思い、撮影の合間に旧美歎水源地水道施設に行ってきました。大正時代に竣工した山陰地方最古のダムです。堰堤（ダム）は東西に長い貯水池の西端に位置する重力式コンクリート造で、堤長103m、堤高19.5m、水通し幅37.6mの規模を持ちます。濾過池の上屋や接合井など大正時代の建築や意匠が面白かったです。でもなんと言っても堰堤に取り付けられた高欄が目を引きました。石を使った支柱（@3m程度）とϕ45程度のトップレール。柵の高さも50cm位です。防護柵の設置基準もない時代、「近寄ったら落ちるよ！」ということをそのフォルムとサイズでサインしています。これでは誰でも右の高欄の方は歩かずに左の石積みの柵の方を歩きますね。考えさせられました。

風憩の風景
063
Products

様々な設置条件に対応する手すり

鳥取県岩美町

山陰海岸ジオパークは山陰海岸国立公園を中心として、東は京都府京丹後市の経ヶ岬から、西は鳥取市の青谷海岸までの東西120km、南北最大30kmのエリアです。この写真の浦富海岸は鳥取県の東端、東西15kmのリアス式海岸線にあります。素晴らしい景観が楽しめますが、そのためには県道沿いの駐車場に車を停めて歩くしかありません。製品搬入時に重機を使えないようなこんな場所には、軽くて錆びにくいユニバーサル手すり「憩木」の出番です。角度変化にはフレキシブル金具で対応し、現場の線形に応じて切断が発生した場合は、カットして切断部をカバーするブラケットで保護します。事前に実測できないような現場でもこの製品があれば、素晴らしい景色を体感できる場所まで辿りつけます。

風憩の風景
063
Impression

2021.08.26

設置しない決断も大事

兵庫県新温泉町

山陰地方の旅も最終目的地、兵庫県の西の端「浜坂」です。ここが神戸と同じ兵庫県とは思えない佇まいでした。「味原小径」、浜坂の市街地を流れる味原川の下流、川沿いに整備された約500mの散歩道。旧家や古い石垣などが並び、井戸洗い場跡、揚げ橋、水神様、船着き場などが随所に残り、当時の生活を偲ぶことができます。江戸時代に北前船が寄港し、商業や漁業が栄えた頃の雰囲気が感じられました。川の中では川ガニや鯉が気持ちよく水遊びをしていました。川側に柵が設置されていないことにより、こんなにも見晴らしが良く、気持ちの良い空間が現れるということを改めて感じました。ここに転落防止柵があったら石垣の見え方は半減します。柵を設置しない決断をした自治体の関係者にイイね！です。

風憩の風景
064
Products

キャンプ場と照明灯

京都府福知山市

ソーラー照明灯「ソライト」販売開始から19年、今まで色んな場所に設置してきました。日本全国の納入された現場に足を運んで撮影してきましたが、ロッジやビラのような施設の歩道に設置されたケースはあったものの、意外にもオートキャンプ場は初めてです。とは言っても鋪装された駐車場の照明なので、オートキャンプをしているそのリアルな場所で照明として機能しているわけではありません。考えて見ればキャンプの醍醐味は「焚き火」。そこはプライベートな空間。照射範囲の広い高い所から照らす照明灯は必要ありませんね。「キャンプ場で必要とされるソーラー照明灯はどんな機能だろう？」ってずっと考えてます。

風憩の風景
064
Impression

お寺の鎖樋

京都府福知山市

2021.09.02

京都府福知山にある天寧寺で見かけた鎖樋（くさりとい）です。普通の樋と違って雨水が滴り落ちるのを鑑賞できます。写真のようなカップ付きのタイプだと雨水の勢いによってカップが揺らぎます。鎖樋の写真は随分撮影しましたが、苔が生えている現場は初めてです。絞りを開放f1.7にして撮影しました。鎖樋は英語でrain chainと言うらしいです。直訳すると「雨の鎖」。天空の雲から地面まで、たくさんの雨粒が落ちてくる中、1本だけが鎖のように連なって下りてくる雨を想像しました。

風憩の風景
065
Products

景観3色とベンチの色

愛知県名古屋市

僕たちがランドスケーププロダクトの色を決める時、その基本となるのが国土交通省による「景観に配慮した防護柵の整備ガイドライン」で推奨された景観三色です。ダークブラウン、グレーベージュ、ダークグレーのいずれかを使用すれば、日本の景色に馴染む色とされています。このガイドラインは防護柵についての決まりごとを記載しているのであって、ベンチについては記載はありません。しかしながら僕たちメーカーの多くは、ベンチやスツールなどの単体で使用されるプロダクツについてもこの景観三色を採用する傾向にあります。この赤いベンチは自治体からの要望で赤く塗装したのですが、ツートーンの舗装材との佇まいがROCKを感じさせてくれて素敵でした。なぜ赤色なのかは不明ですが、電車の車両の色と合ってます。

風憩の風景
065
Impression

2021.09.09

1981.SHIBUYA

東京都渋谷区

古いネガを整理していたら、公園通りにあった渋谷ジャンジャンからパルコに向かう坂の途中の壁に描かれていた「A LONG VACATION」のネガが見つかりました。今は1年に一度ぐらいしか渋谷の街には脚が向きませんが、1981年当時は新宿と渋谷ばかりでスナップショット撮ってたことを思いだしました。街中から「君は天然色」が聞こえてきていました。今年の夏は40周年盤が出たのでアナログ盤で購入し、当時聞こえなかった音と詞の意味を満喫しています。チラッと写っている女の人の髪型が1981年ですね。

風憩の風景
066
Products

細やかなオーダーに対応する

宮城県石巻市

東北地方において「漁港にソライト」は合言葉です。あの日から10年、太平洋側の漁港に数多くのソーラー照明灯を採用して頂きました。漁港に設置する場合、その使用方法に特徴があります。そのひとつが置き基礎タイプです。船が接岸するエプロンに独立基礎は設置できないので、基礎を置き式にするケースが多いです。そしてもうひとつの特徴がボックスアップ。波を被ってもバッテリーが水没しないように、バッテリーボックスをGLから1mぐらい持ち上げて設置します。このような細やかなオーダー対応が、僕ら風憩セコロの得意な勝ちパターンです。

2021.09.16

世界情勢に左右される時代

東京都荒川区

「アルミニウム原料であるボーキサイトの主産地である西アフリカ・ギニアでクーデターが発生し、10年ぶりの高値圏にあったアルミ価格に上昇圧力をかけた」というニュースを目にしました。また、「消費者需要と経済活動の回復で、ロンドンのアルミ相場はクーデター前でさえ年初来で約38％上昇」とのニュースも。日本から14000kmの距離にある西アフリカの国の政治情勢が、僕たちのつくるものに大きく影響しています。原料はアフリカ、材料は中国、加工は埼玉。日本国内だけのことを考えていたのでは憩いの風景はつくれません。アルミ押出メーカーに発注したら、当たり前のように材料が入ってくる日常がいつまでも続くとは考えずに、世界の動きをウォッチし続けなければいけないと感じました。写真はギニアの隣国コートジボワールの「コロン人形」。赤シャツが気に入ってます。

風憩の風景

067

Products

メンテナンスで長寿命を目指す

岩手県花巻市

西に沈む夕日を見ながら沖縄の友達が言いました。「俺らが販売している再生木材って本当にサスティナブル？」。その夜はその話題で夜遅くまで語り尽くしました。セコロウッドを使用したプロダクツを販売し始めて20年、様々なプロダクツを開発し販売してきました。天然木よりも寿命が長いにしても、このマテリアルに寿命がきた時、それを産廃として破棄したら何の意味もありません。二人で出した結論は「メンテナンスをして寿命をもっと延ばそう！」でした。写真の現場は設置後21年経過したセコロウッドの手すりです。上段は現場で再サンディングしたもの。下段はその前です。支柱にはアルミを使用しているため、まったく問題ありません。スクラップ＆ビルドではなく、人の手によるメンテナンス。とりあえずの答えはこれですかね。

風憩の風景
067
Impression

2021.09.23

何気ない風景から想像する何気ないこと

東京都文京区

最近はフラットな壁が多くなったような気がしますが、昔から壁にタイルが貼ってあると端部の目地割りに目がいきます。どのような加工をして端部を納めているのか？ そこが一番面白いところです。この写真のように4種類の床材の目地が合ってなくてバラバラなのも、現場で色んなことがあったのかな？なんて想像できて面白いです。この人物の右足の角度と右手の角度がピタッと合っているのも面白いです。

風憩の風景
068
Products

スマフォで状態を確認できる「ソライトＮＸ」

宮城県山本町

今年の春に販売を開始した「ソライトNX」の1号機が納品されました。リチウムイオンバッテリーと鉛バッテリーをハイブリッドで使用したいいとこ取りのシステムです。この製品にはもうひとつ機能があります。専用のAPPを使い、Bluetooth経由でスマートフォンと接続できます。バッテリーボックスを開けずに、バッテリーの電圧や充電状態を確認できます。名付けて「スマートバッテリー」。不具合が発生した時にその効果を発揮します。

風憩の風景
068
Impression

2021.09.30

味気なさを感じる循環型社会

東京都荒川区

コロナ前までは地下鉄で通勤していました。ホームにあるキオスクでガム買ったり、新聞買ったりしていました。最近は車通勤になり、ガムはプラスティックのボトル入りになりました。新聞の代わりにSpotifyでポッドキャスト聴いています。今後、ガムは「Loop」の取り組みを採用し、ステンレス製の専用ボトルを使用し、容器を回収し洗浄して中身を詰め替える仕組みになりそうです。手にとってもらえるように、いかにして目立つかを考えていたパッケージデザインが懐かしいですが、このような行動を当たり前にすることが「循環型社会」ってやつですね。

風憩の風景
069
Products

富士山5合目で人を迎えるベンチ

山梨県富士吉田市

ガビオンのベンチが富士山5合目に設置されました。75mmピッチのϕ6の亜鉛メッキ鉄線と40Hのフレームで構成されたガビオンに、ラジアータパイン無水酢酸処理材のアコヤを座板にしたベンチです。今から頂上を目指す人や、頂上から下りてきてバスを待つ人たちに富士山の頂きをゆっくり見てもらう場所に置いています。当たり前ですが、火山岩のウエイトがその場の雰囲気に自然に溶け込んでいました。

※ラジアータパイン＝マツ科マツ属の樹種で世界中に分布する。
※無水酢酸処理材＝無水酢酸を高温・高圧処理し水分を吸わない性質に変化させた材。

風憩の風景
069
Impression

2021.10.07

シルエット

北海道占冠村中トマム

トマムの雲海。朝焼けと雲のスクリーンで、自然のバック飛ばしが完成しました。デッキを支える支柱とワイヤー。縦格子の転落防止柵。いろんな動作の人のシルエット。10分間で100カット以上撮影した中の、お気に入りの1枚です。

風憩の風景
070
Products

スペインの空気（Aero）を日本で展開

埼玉県毛呂山町

僕たち風憩セコロは、スペインSellex社で20年以上前から販売されている公共施設用ベンチ「Aero」の国内生産ライセンスを取得しました。アルミ押出形材の座面とステンレス丸鋼の脚で構成したシンプルなフォルム。海外では、空港や駅のホーム、病院や美術館といったパブリックスペースの共用ベンチとして利用されています。ワイド1250mmの2人掛けから4350mmの7人掛けまで脚2本で飛ばしています。「スペインのプロダクトを日本でつくる」空気（Aero）。来週（2021年10月）からの展示会で初お披露目です。

風憩の風景
070
Impression

2021.10.14

人を感じる無骨なスツール

鳥取県智頭町

鳥取県を一人旅した時、智頭町の山村で存在感のある物体が目に飛び込んできました。丸太に6つの穴を開けて3本の枝を差し込んだスツールです。使い込まれた佇まいが写欲を誘いました。丸太の厚みは60mm程度。枝の直径はφ25程度です。大丈夫かなーって思って座ってみたら、思いのほか安定していました。5度位の角度をつけた穴を開けるのは難しいと思いますが、3本とも同じ角度で差し込まれていました。来春発表する新製品のスツールのヒントになりました。枝が差し込まれていない残りの3本の穴の意味は不明のままです。

風憩の風景
071
Products

コンクリートも地元の骨材を使ってつくる

青森県十和田市

独立電源ユニット「DKTG-UNT」を開発した時、日本全国の地元の石材にこのユニットを装着して、その土地に合ったフットライトが設置されれば良いなあという漠然とした思いがありました。栃木の大谷石や島根の来待石、沖縄の琉球石灰岩等その作品は現在も増え続けています。ただし石が採れない地域や石の加工が難しい地域の場合は、このコンクリート製のソラーポ「コンソラポ」を提案する場合があります。地元の骨材を使って工場で製作して、当社の埼玉の工場から現地へ配送します。ビシャン仕上げを施して、骨材の色やテクスチャーを表現しています。

風憩の風景
071
Impression

2021.10.21

姿を消しつつあるシェルベンチと残照

兵庫県神戸市

最近の東京の都心では見かけることが少なくなったイームズもどきのシェルベンチ。南中高度の低い晩秋の西日に照らされて、オレンジ色が印象に残りました。軒の下に置かれていますが、雨が入り込んで座面に水が溜まらないように穴が空いています。

風憩の風景
072
Products

奥州の地で欧州のような環境に架けた太鼓橋

岩手県北上市

鉄骨の太鼓橋に設置されていた木製の床板と転落防止柵を、セコロウッドでリニューアルしました。住宅地に沿って流れる小川に架かる6mぐらいの太鼓橋です。鬱蒼とした木々の中、静かに流れる清流と蜩の鳴き声を聴いていると、奥州ではなくヨーロッパの「欧州」を彷彿されました。そういえば、この地域は宮沢賢治も「イギリス海岸」って言ってた北上川水系でした。

風憩の風景
072
Impression

2021.10.28

自然の美しさをトレースする

東京都荒川区

マクロレンズでトンボを撮影し、羽の模様をイラストレーターでトレースして、そのデータをdwgに変換し、拡大と修正を繰り返してレーザー抜き用データを作成しました。ベンチの座面やパーゴラの屋根、フェンスの抜きパネルとして、いつか採用されることを夢見て、チマチマとマウス握って作業しました。

風憩の風景

073

Products

これまでのイメージを打破する新色の開発

岩手県大船渡市

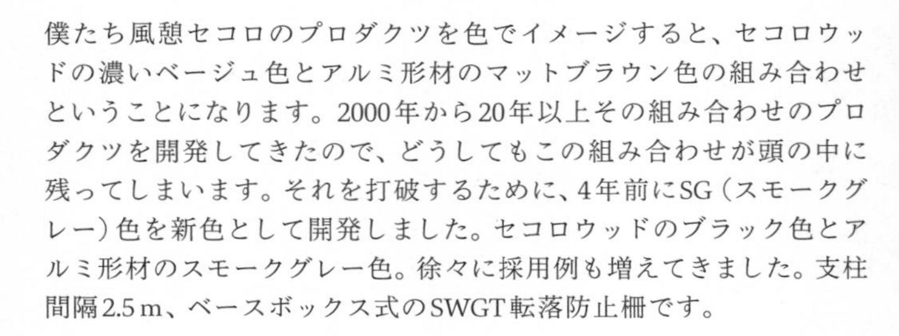

僕たち風憩セコロのプロダクツを色でイメージすると、セコロウッドの濃いベージュ色とアルミ形材のマットブラウン色の組み合わせということになります。2000年から20年以上その組み合わせのプロダクツを開発してきたので、どうしてもこの組み合わせが頭の中に残ってしまいます。それを打破するために、4年前にSG（スモークグレー）色を新色として開発しました。セコロウッドのブラック色とアルミ形材のスモークグレー色。徐々に採用例も増えてきました。支柱間隔2.5 m、ベースボックス式のSWGT転落防止柵です。

風憩の風景
073
Impression

陰翳

東京都台東区

2021.11.04

北に窓があり直接太陽光が入ってこない部屋は薄暗く、開け放した窓から入ってくる風がキンモクセイの香りを運んでくれていました。存在感のある和紙の照明はピンと張り詰めたフォルムと暖かい色温度の光源で、窓の外にチラリと見える緑色とのコントラストが鮮やかでした。正方形と長方形のバランスがカッコイイです。

風憩の風景
074
Products

光の壁を演出した転落防止柵

東京都大田区

橋に設置される転落防止柵に、ライン照明を装着したいという要望が増えてきました。その場合は橋の幅員に対して希望する水平面平均照度の設計条件を頂いてから、器具の選定に入ります。防護柵の笠木（H1.1 m）の中に器具を装着するケースが一般的ですが、グレアを低減したい場合や幅員が広い場合には、笠木より下の位置に固定する場合もあります。この写真の現場は少し角度を振ってLEDを笠木に固定し、平均照度を確保しました。また、格子に光を当てることで光の壁を演出することができました。

風憩の風景
074
Impression

我が家の樹名板

東京都荒川区

2021.11.11

ベランダに置いているコンテナに樹名板を装着しました。60cmのコンテナの中に、20種類以上の草花が植えられています。水やりしながらスマホで画像検索して、名前と実物を照合しています。

風憩の風景
075
Products

使い方はフレキシブル、ハコベンシリーズ

千葉県千葉市

5年前に販売開始したハコベンシリーズ。長方形、正方形、丸、多角形などの平面のカタチのバリエーションと、背もたれの角度を変化させた立面のカタチのバリエーションで12種類のタイプを考えました。その中のひとつが「ハコベンオーバル」。円形の縁台の内側をくりぬき足を中に入れて座れるようにして、より親密なコミュニケーションをとれるようにしました。コロナ渦においては、そのような座り方はNGです。今回採用してくれたオーナーは、くりぬいた内側をプランターにするアイデアを提示してくれました。ベンチとプランターはとっても相性が良いですね。

風憩の風景
075
Impression

一瞬の名作

東京都台東区

2021.11.18

アッと思ってピントも露出も合わせる暇もなく、一瞬でカシャッと撮った一枚です。その後、じっくり撮りたいと思って何回かチャレンジしたけど、一瞬で撮ったこの一枚以上の雰囲気のある写真は撮れませんでした。撮る瞬間の気持ちが大事ですね。

風憩の風景
076
Products

侵入不可であることを認識させる車止め

愛知県名古屋市

車止めの機能は、車を止めて侵入させないことです。ポールを車の幅より狭いピッチで立てれば、物理的にそこからは侵入できません。でも自転車やバイクはすり抜けて進入できます。この現場は、自転車やバイクの進入を防ぐために門形の車止めが設置されました。完全に物理的に侵入を防止しようとすると、歩行者の通行や車いすの通行に支障がでるため、空間を空けて設置されました。物理的な侵入は防げませんが、車止めにサインプレートを装着して侵入できないことを知らせます。細いアルミ製の40Hの華奢なフォルムと、広い設置ピッチで曖昧なバリアーができました。

風憩の風景
076
Impression

2021.11.25

製作の現場、鋳物工場で浮かぶアイデア

愛知県常滑市

常滑市に撮影に行って見慣れない形のベンチを発見しました。調べてみると、土管や陶管の進化形の多孔陶管と呼ばれるものでした。常滑焼でつくられた地中埋設用のケーブル保護管を使用したものです。2種類の穴が開いていました。帰って来てからこれを使って何か面白いものつくれないか、ずっと考えています。

風憩の風景
077
Products

賑わいと再生可能エネルギーを両立

埼玉県さいたま市

「独立電源+ランドスケープ」。起業して23年ずっとこの2つをテーマに製品開発を行ってきました。今回埼玉県のけやきひろばに設置された「卓憩(たっけい)」と名付けられたこのプロダクトは、僕たちのやってきた2つのテーマを具現化したものです。円卓としての機能に加え、独立電源でワイヤレス給電できるサービスを付加しています。また、人工地盤の上に設置されるため、コンクリート基礎ではなくスチールプレートを差し込んで重量を稼ぐウエイト方式で、ソーラーパネルにかかる風圧を受け止めています。賑わいと再生可能エネルギーを両立させたひとつのカタチが、この「卓憩」というプロダクトです。今後来年に向けて、円卓タイプに加えロングテーブルタイプやユニバーサルデザインタイプ等「卓憩シリーズ」として展開していきます。

風憩の風景
077
Impression

2021.12.02

地域の原風景、棚田と工場の煙突

埼玉県横瀬町

埼玉県横瀬町を旅して、役所の担当者に案内してもらいました。「小さい町だからこそ、できることがある」をスローガンに地元に人を呼ぶための様々な活動を行なっている情熱の人でした。話の中で、棚田という観光資源とその奥に見えるセメント工場の話がとても印象的でした。「観光で来た人たちにとっては写真を撮る場合、工場の煙突は邪魔なものかもしれないが、この町で暮らす僕たちにとっては、この風景がリアルな横瀬町なんだ。大切な観光資源なんだ」ということを熱く語ってくれました。そんな熱い言葉の一方で、一つひとつのハードの整備は、手づくり感満載のゆるーい設えで、僕たちのようなものづくりメーカーは手の出しようがない素敵な空間でした。

風憩の風景
078
Products

ダムの手すり
香川県高松市

香川県高松市に建設された「椛川ダム」は、その高さが85ｍあります。擁壁のフーチング部の管理用の手すりに僕たちのユニバーサル手すり「憩木」のイージーオーダータイプが採用されました。基礎コンクリートにコア抜きされた支柱が納まる穴を、１つずつ採寸して支柱ピッチを確定します。基本のピッチは決まってますが、現場の施工状況によってバラツキがあります。現場での加工を極力なくすため、工場で手すりを切断して現場に納品しました。左岸、右岸に2箇所ある85mの階段を3人がかり2日かけて実測して、加工図に落とし込みました。夏の暑い日でした。

風憩の風景
078
Impression

2021.12.09

beautiful people

東京都港区

南青山で11時から打合せ。久々のオフラインでの面談。早めに現着。何か面白い景色ないかなとブラブラ撮影。「beautiful people」オール小文字。冬の午前中の影。レンガに白塗装。背景の電柱と青い空。やっぱり撮ってしまいますね。

風憩の風景
079
Products

アルミと地元素材のハイブリッド転落防止柵

愛媛県宇和島市

SP種の転落防止柵「SWSP」。P種の転落防止柵「SWGT」。アルミ形材と再生木材のハイブリッド素材を使用した僕たちの看板製品です。経年変化の少ない再生木材はいつまでも色落ちしないメリットはありますが、木粉に地元の木材を使用した特注の場合は大きなコストアップになります。この現場の笠木や支柱の化粧材に使用されているのは、再生木材ではなく地元愛媛県のスギ材です。「K4ウッド」とネーミングした10年保障が担保できる湿式のACQ処理を施しています。アルミと地元木材とのハイブリッド。今後も追求していきたい開発テーマです。

風憩の風景
079
Impression

駐車場のグラフィック

愛知県名古屋市

2021.12.16

管理用車両の駐車スペースです。白線で車両スペースを囲い、車が進入してくる角度に合わせて斜めに数字をマーキングしています。いつもの見慣れた駐車場のグラフィックとは違って見えて嬉しくなりました。アスファルトに白線はコントラストが効いていて、センスの良いグラフィックデザインでマーキングしたら、安価で場の雰囲気を変えられるツールだなと感じました。

風憩の風景
080
Products

屋内での使用が広がるランドスケーププロダクト

徳島県板野町

「ハコベンソラマメ」、おかげさまで各地で採用されています。特に地方での採用が多いです。この製品が持つフォルムのユニークさが採用理由のひとつだと感じています。ソラマメが置かれるだけで、その場の雰囲気を和ませる効果があります。この現場は、道の駅の男子トイレの中です。屋内での採用は初めてです。このトイレにはフィッティングルームがあり、パウダールームも充実しています。撮影した時も利用客がハコベンの上に荷物を置いて、みだしなみを整えたり、荷物を整理したりしていました。屋内での使用に限定した価格の安いハコベンシリーズの開発を考えてみるのも良いかも、と思いました。

風憩の風景
080
Impression

2021.12.23

ロボットが人の暮らしをサポートする未来

東京都中央区

事務所がある日本橋の近くに分身ロボットカフェが常設オープンしました。ALSなどの難病や重度障害で外出困難な人々が、分身ロボット「OriHime」「OriHime-D」を遠隔操作しサービススタッフとして働く実験カフェです。僕の相手をしてくれた「OriHime-D」のスタッフは、北海道札幌から遠隔操作してくれてました。札幌の今の様子をホスピタリティ溢れる接客態度で話してくれました。テクノロジーのちからで、障害者が自分らしく社会参加し、仲間と出会い、お給料をもらい、僕たちを楽しませてくれるこの取り組みに未来の日本を感じました。

風憩の風景
081
Products

ものづくりとCO_2排出量を考える

東京都千代田区

「アルミの地金を1tつくるのに、1tの二酸化炭素が排出される。ただしリサイクルされたアルミでつくると70％削減できる。」カーボンニュートラルがこれまでのビジネスルールを一変させる2022年、僕たちはアルミを使ってどのようなプロダクトをつくって地球に貢献していくのか？この答えを見つける1年になりそうです。

風憩の風景
081
Impression

2022.01.06

来たる2022年寅年と張子の虎

東京都中央区

正月は、張子の虎をコートのポケットに突っ込んで、ブラブラ散歩撮影しました。ぶさいくな虎の顔がとても愛らしい。鳥居を背景に選んで、磨かれた御影石の上に置いて正月気分。

風憩の風景
082
Products

卓憩シリーズ第2弾

宮城県仙台市

2021年の夏頃から企画していたピクニックテーブルと独立電源のハイブリッドプロダクツ、「卓憩シリーズ」の第2弾が設置されました。11月に設置した卓憩は円形テーブルでしたが、今回は4mの長さのあるロングテーブルタイプです。アプリケーションは、スマートフォンのワイヤレスチャージです。主要材質は、アルミ形材のテーブルトップとアルミ形材にセコロウッド表層の座板です。ソーラーは、シートタイプで150φのパイプに装着されています。風圧がかからないためウエイト無しで運用できます。社会実験のために設置したので、街角の舗道に置かれたこのプロダクトは1年後には移動します。

風憩の風景
082
Impression

路地の番犬

東京都台東区

2022.01.13

久しぶりにモノクロしか撮れないカメラを持って町歩き。三ノ輪から千束、鳳神社から浅草まで。3時間程ブラブラしたけど、何見てもココロが動かない。歩きながら考えながら、目だけは集中して風景を見渡している。人混みを避けて裏道使って帰る途中、路地の奥から視線を感じる。ビクターの犬がこっち見てる、と思ってよく見ると顔は真っ直ぐだし、耳も立っている。「本物だ！鎖に繋がれてないやん」と思って怖くなって逃げる。ちょっと待てよ。考え直し早歩きの足を止めて引き返すと同じ表情でこっち見てる。路地の門番ビクター。良く出来てる。

風憩の風景
083
Products

新製品

東京都墨田区

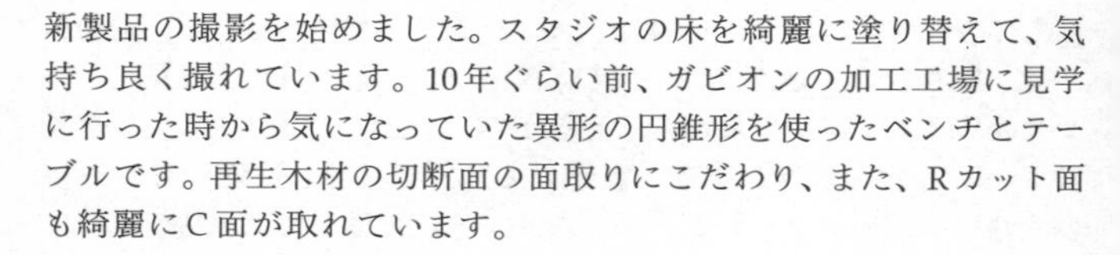

新製品の撮影を始めました。スタジオの床を綺麗に塗り替えて、気持ち良く撮れています。10年ぐらい前、ガビオンの加工工場に見学に行った時から気になっていた異形の円錐形を使ったベンチとテーブルです。再生木材の切断面の面取りにこだわり、また、Rカット面も綺麗にC面が取れています。

風憩の風景
083
Impression

知人の死に際して

東京都足立区

2022.01.20

年末に親しかった人が亡くなりました。彼の過ごした最後の日々、住んでいたサービス付き高齢者住宅（サ高住）でドラムサークルに参加していました。施設に頼み込んで撮影許可をもらい、普段はおとなしい高齢者が生き生きとドラムを叩く姿を撮影させてもらいました。彼も普段は見せない真剣なまなざしで、ひとつのグループをつくり上げることに一生懸命でした。天国でも思いっきり叩いて下さい。R.I.P

風憩の風景

084 Products

化粧材から構造材へと広がるサンディング加工

東京都墨田区

サンディングという加工方法により木材のフェイクとして木質感を表現してきた再生木材。近年はアルミ形材の表層に木粉を装着し、サンディング仕上げを施すハイブリッドタイプが多く採用されるようになりました。今までのような化粧材としてではなく、構造材として自立できるということはプロダクツの可能性が広がります。今回はフットライトで売れ筋のソラーポのポストに採用しました。

風憩の風景
084
Impression

2022.01.27

2008年、雪の新宿御苑

東京都新宿区

年始め、雪が降った日は忙しくて散歩写真撮影できませんでした。雪の写真を見たくなって探してたら、2008年2月3日新宿御苑で撮影した写真が見つかりました。寒さに耐えながら撮影して、この中国風の空間に入った時ホッとしたのを覚えてます。設計者の建築家森山松之助の設計意図は「夏の御散策の際に涼をとる建物」らしいのですが、冬の寒い日にも風や雪を遮って、暖をとる空間として十分に機能してたことを思い出しました。床・壁・天井で構成される建築から壁を取ると四阿になります。現代風の細いフォルムの柱ではなく、どっしりとした構造物は安心感を与えてくれますね。

風憩の風景
085
Products

技術の向上が生んだ製品

東京都墨田区

僕たちは仕上げ材としてアルミを使用する場合、ボルトやビスを使って接合する方法を採用します。人の手が触らないところに使用する場合には溶接したままの場合もありますが、仕上げ材の場合、溶接した後のビードをサンダーで仕上げることによる強度低下を恐れるためです。しかし製作担当のT君のアルミの溶接技術が向上したので、写真の製品「アルエスダブルスツール」を溶接加工の製品として、初めて規格化しました。重量約5kg。1枚のアルミプレートからレーザー抜きした母材をプレスで曲げて溶接しました。シンプルだけど僕たちの加工技術が誇れる自慢のプロダクトになりました。

風憩の風景
085
Impression

2022.02.03

石垣焼のロックグラス

東京都荒川区

欲しかった石垣焼のロックグラスを手に入れました。グラスの底に定着した、細やかな貫入(かんにゅう)とマリンブルー、エメラルドグリーンの微妙なグラデーションが神秘的です。グラスの表面は、油滴(ゆてき)と呼ばれる鉄分の結晶模様が散りばめられています。お酒を入れると銀色に輝きます。最近発見したミシシッピ・ヒル・カントリー・ブルーズを聴きながら泡盛を呑んでます。

風憩の風景
086
Products

初めて規格化した製品「セコロウッド憩木」

東京都墨田区

2012年、早春。僕たちが会社を設立し、初めて規格化したプロダクト「セコロウッド憩木」。23年の歴史の中で、毎年様々なブラッシュアップを行ってきました。今回は、ユーザーからの要望が近年最も多かった「ライン照明」を、手すり内部に装着することにチャレンジしました。φ40の正円の形状のため、照射したい方向に回転させることができます。曲げ加工ができるアルミ形材芯材のセコロウッド2を使用し、巻き込み防止端末パイプから配線を挿入しています。

風憩の風景
086
Impression

ボルトの涙
東京都中央区

2022.02.10

最近、首都高速のメンテナンス工事している場面を目にすることが増えてきました。半世紀前のボルトが錆びて涙流している姿は、頑張ってきた歴史を感じさせてくれて好きなテクスチャーです。

風憩の風景
087
Products

賑わい空間をつくる転落防止柵

東京都墨田区

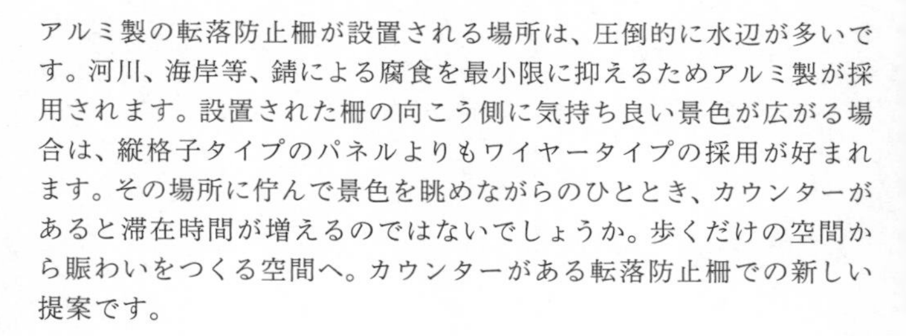

アルミ製の転落防止柵が設置される場所は、圧倒的に水辺が多いです。河川、海岸等、錆による腐食を最小限に抑えるためアルミ製が採用されます。設置された柵の向こう側に気持ち良い景色が広がる場合は、縦格子タイプのパネルよりもワイヤータイプの採用が好まれます。その場所に佇んで景色を眺めながらのひととき、カウンターがあると滞在時間が増えるのではないでしょうか。歩くだけの空間から賑わいをつくる空間へ。カウンターがある転落防止柵での新しい提案です。

風憩の風景
087
Impression

街の色

東京都千代田区

2022.02.17

ランチ後の昼下がり、都心のオフィス街の目抜き通りを半ズボンに白い靴下、紺のブレザー姿の小学生が信号を渡ってました。彩度の低い色を使った仕上げ材が多い都会の景色の中で、昔懐かしい黄色い帽子とランドセルカバーは目を引きました。僕の住んでる下町だと、周りの色がビビッドだから黄色はあまり目立ちません。だから近所の小学生はグレーの帽子をかぶって通学しています。

風憩の風景
088
Products

ハコベンシリーズのバリュータイプ「ハコベン門」

東京都墨田区

ハコベンシリーズの新作「ハコベン門」です。フレームはアルミ形材、座板はセコロウッド、今までのハコベンシリーズと同じ部材メンバーで構成されています。この製品は前面と背面を塞がずに解放し、門形にしました。最大の特徴は中空材を使用して、角の付け合わせ部分を45度カットのトメ加工にしたこと。なるべく軽く、安価にそしてサイズ変更の自由度は今まで以上に。イージーオーダーの多いハコベンシリーズのバリュータイプとして位置づけました。高さを変えてベンチをまたいでテーブルとしての利用も。

風憩の風景
088
Impression

昭和の空き地

東京都中央区

2022.02.24

子供の頃、ドラえもんに出てくるような空き地に一時期だけ土管がありました。夏の夕方、工事のおっチャンたちが帰っていくと、パイロンやバリケードで塞がれていないため、自由に土管の中に入ることができました。ツルツルしたコンクリートに頬をあてると、ヒンヤリして気持ち良かったなあ。土管が置いてある公園に行きたいなあ。どこかにないかな？ 探してみよ。

風憩の風景
089
Products

バーベキューコンロを収納したベンチ「Hettz」

東京都墨田区

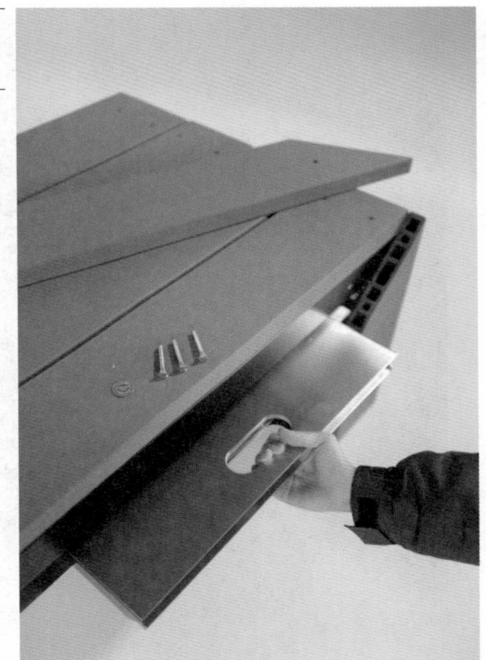

「Hettz（ヘッツ）」。10年程前に販売中止にした、かまどベンチのブランド名です。古典落語の演目「へっつい幽霊」にちなんでネーミングしました。へっついとは竈（かまど）のことです。今回再発する2代目のヘッツは、ステンレス製のバーベキューコンロを収納したベンチにしました。かまどベンチの機能は、火を起こすこと。それならばベンチのフレーム材をわざわざ五徳にしなくても、ベンチの機能はそのままにして「火を起こす機能はバーベキューコンロに任せしてしまおう」という逆転の発想で開発されました。ベンチはそのまま利用でき、非常時には誰もがコインで外せる簡単な施錠にしました。

風憩の風景
089
Impression

2022.03.03

久しぶりに光を取り込むことができた窓

東京都千代田区

交差点の角のビルが解体されました。現れたのはファサード側面の壁にあった窓です。長年に渡って塞がれていた窓に久しぶりに光が入りました。しばらく光を室内に入れ込んで窓本来の役割を味わって下さい。近々また塞がれてしまいます。

風憩の風景
090
Products

デッキザブトン

東京都墨田区

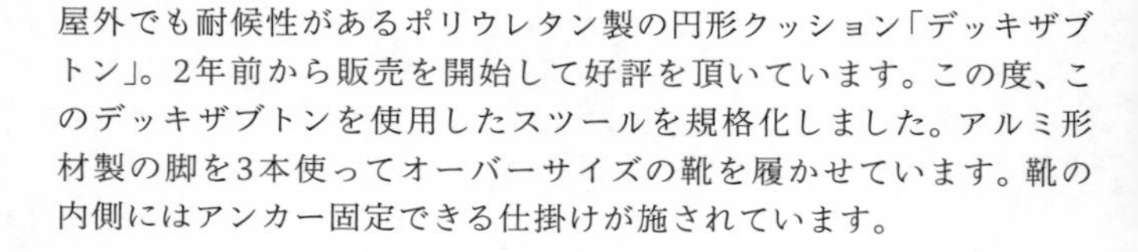

屋外でも耐候性があるポリウレタン製の円形クッション「デッキザブトン」。2年前から販売を開始して好評を頂いています。この度、このデッキザブトンを使用したスツールを規格化しました。アルミ形材製の脚を3本使ってオーバーサイズの靴を履かせています。靴の内側にはアンカー固定できる仕掛けが施されています。

風憩の風景
090
Impression

2022.03.10

反射する揺らぎ

東京都千代田区

日本橋川の上を首都高速道路が走っています。φ1500程度の橋脚や梁に川面の光が反射して揺らいでいます。見る方向と角度、季節や時間によって綺麗に見える場合があります。自然に演出されたプロジェクションマッピング。いつも見ることができないので、遭遇した時は見入ってしまいます。

風憩の風景

091 Products

プランターを組み合わせることができるベンチ

東京都墨田区

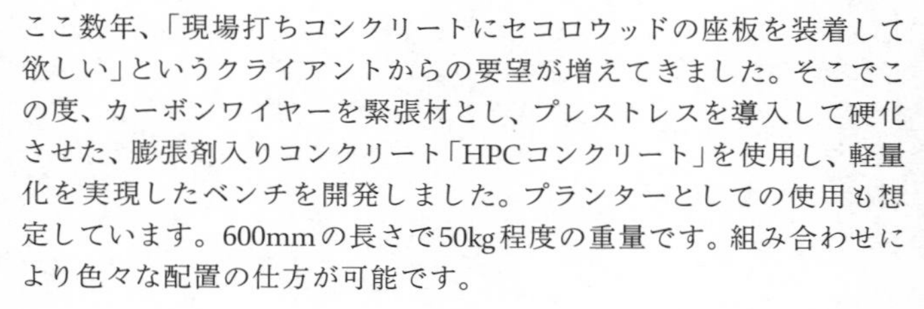

ここ数年、「現場打ちコンクリートにセコロウッドの座板を装着して欲しい」というクライアントからの要望が増えてきました。そこでこの度、カーボンワイヤーを緊張材とし、プレストレスを導入して硬化させた、膨張剤入りコンクリート「HPCコンクリート」を使用し、軽量化を実現したベンチを開発しました。プランターとしての使用も想定しています。600mmの長さで50kg程度の重量です。組み合わせにより色々な配置の仕方が可能です。

風憩の風景

091

Impression

2022.03.17

魅力的な分厚い錆の皮

沖縄県石垣市

鋳鉄でできている係船柱。鉄製の鋳物に溶融亜鉛メッキするのは難しいため、納品時は錆び止めの上に塗装を施して設置したと想定できます。何年経過したのかは分かりませんが、錆びてオブジェになっていました。しかし、係船柱としての機能は健在です。錆びの皮が分厚い。1枚剥がして持ち帰ってリビングに置きたいと思いました。

風憩の風景
092
Products

カラーバリエーション

東京都墨田区

アルマイトのマットブラウンとセコロウッドのダークカラーの組み合わせは、風憩セコロのプロダクツに一番多く使われているビジュアルイメージです。数年前からこの傾向を変えたくて、スモークグレーアルマイトやブラックカラーのセコロウッド等、今までとは違った色展開を続けてきました。今回はホワイトです。それも微妙なニュアンスのブラウン色をランダムに流したシャビーホワイト。フレームの構造部材のアルミもシルバーアルマイトで合わせてみました。

風憩の風景
092
Impression

2022.03.24

裏通りのオカメザクラ

東京都千代田区

毎年この時期になると撮影に行きたくなる場所があります。仕事場から5分くらいの裏通りにある並木道。道路照明がダウンライトの代わりをしてオカメザクラが八分咲きです。　　　コンビニのグリーンを入れて切り取ると素敵な作品になりました。

風憩の風景
093
Products

耐候性が期待できる塗料でつくるアイアン風ファニチャー

東京都墨田区

アイアン風のファニチャーを依頼された場合（あくまでもアイアン風。本物ではない）、鋳造で作るか？ 鉄で作るか？ 考えます。テクスチャーまで本物風にしたいのであれば鋳鉄ですが、そこまでこだわらない場合は角鋼、平鋼を溶接して製作します。その場合、僕らの製品は屋外で使用されますので、防錆処理がポイント。溶融亜鉛メッキ（通称ドブづけ）が一般的ですが、細い材料だとひずみが発生します。今回発売するエスエスダブルスツールには、SSPコーティングと呼ばれるステンレスフレーク入り塗装を施しています。塗料を塗布する工程ですので、ひずみの心配はありません。そして溶融亜鉛メッキと同程度の耐候性が期待できる塗料です。

風憩の風景

093 Impression

2022.03.31

スケボー禁止

東京都港区

手すりがスケボーによって壊されるクレームが増えてます。スケートボードパークが充実していない僕らの国では、公園の手すりがスケボーを簡単に楽しめる施設となります。僕たちもスケボーができない手すりの相談を受けて色々アイデアを出しますが、手すりとしての機能が満たされない提案が大半でした。この現場を見た時は思わず「ナイス！アイデア」と手をたたきました。チェーン式の鍵で物理的に障害をつくってスケボーが出来ないようにしています。その部分だけ手すりが使えませんが良いアイデアだと思います。後は禁止サインのグラフィックデザインがポイントかな。

風憩の風景
094
Products

熱押形鋼が主役の横断防止柵

東京都墨田区

熱押形鋼の40 H。オリジナル断面のスチール材として僕たちのプロダクツにチョコチョコ顔を出しているマテリアルです。今回は主役です。40 Hの支柱にヨンニーナナ（ϕ 42.7）のビームを使用した横断防止柵です。SSPコーティングを施しています。鋳鉄製の頭を溶接してアクセントをつけています。

風憩の風景
094
Impression

タコバルのファサードを見て思う

東京都渋谷区

2022.04.07

たまに渋谷区あたりに外出すると、住居がある下町や事務所がある都心とは違ったファサードを発見できて楽しい。たこ焼き屋さんのグラフィティーが食欲をそそります。バルって書いてるからお酒も飲めるんだろう。外壁に貼り付けてあるカウンターで、たこ焼きをツマミに気の合った仲間とクラフトジンのソーダ割りが飲みたいなあ。夕方が良いなあ。

風憩の風景
095
Products

チャリベン

東京都墨田区

自転車を停めてそこに座る。駐輪場に停めてどこかに移動する。自転車を停めた後の行動によって必要な機能が異なる。停めて座るチャリベン。チャリベンを並べて置けば、キチンと整理された自転車が乱雑な街の景色を変えていく。

風憩の風景
095 Impression

2022.04.14

ロックの氷にバーの姿勢を見る

福岡県福岡市

初めて行くバーでスコッチウイスキーをロックで頼んだら、ロックグラスに四角錐の氷が入っていました。ピン角のエッジの効いた氷です。バーテンに聞いたら、包丁を使ってカタチを整えたそうです。普段はストレートを飲むのですが、今後は初めてのバーに行くときは、どんなカタチをした氷が入っているのかを楽しみに、ロックでオーダーするのもいいな。

風憩の風景
096
Products

浮遊感が特徴のフットライト照明ボラード「SLP8」

東京都江東区

独立電源フットライト照明「ソラーポ」のポールの材質にスチール材を使用して、マットなテクスチャーのメタリック仕上げアクリルシリコン塗装「フェロブリエ塗装」を施した照明ボラード「SLP8」を開発しました。3Wの円形ガラスソーラーモジュールのシャープなエッジと良く合ってます。足下から浮いてるような浮遊感が特徴のボラードです。

風憩の風景
096
Impression

2022.04.21

楽しき日々

東京都品川区

友達と呑みました。散々語り尽くした後、コーヒー買ってコンビニ前の路上で終電まで、また話が始まりました。リュックから荷物を出す時、コーヒーの置き場所に困ったその友達が竹の柱にポンとカップを置きました。僕もマネして、防腐処理された緑色のスギの柱にポンと置きました。斜めってもこぼれない場所に置いた彼の勝ちですね。

風憩の風景
097
Products

昼間はベンチ夜間は照明のハイブリッドベンチ

東京都江東区

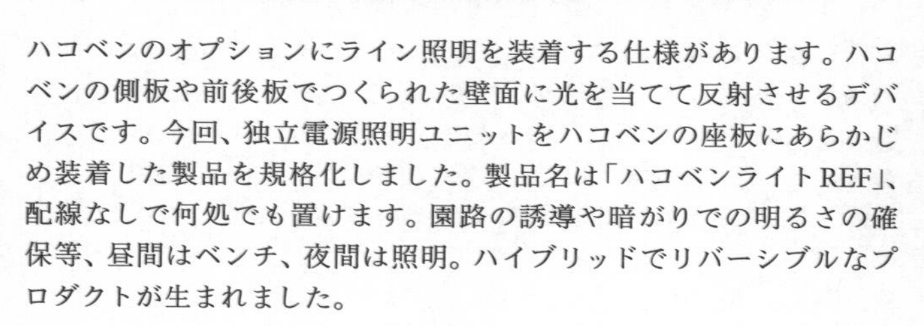

ハコベンのオプションにライン照明を装着する仕様があります。ハコベンの側板や前後板でつくられた壁面に光を当てて反射させるデバイスです。今回、独立電源照明ユニットをハコベンの座板にあらかじめ装着した製品を規格化しました。製品名は「ハコベンライトREF」、配線なしで何処でも置けます。園路の誘導や暗がりでの明るさの確保等、昼間はベンチ、夜間は照明。ハイブリッドでリバーシブルなプロダクトが生まれました。

風憩の風景
097 Impression

出張の楽しみ

大阪府大阪市

2022.04.28

出張でホテルに泊まった翌朝、朝食は無しにして近場の喫茶店でモーニングを食べるのが好きです。大阪や名古屋は、喫茶店のモーニングが充実してます。屋外のテラス席で通勤して行く人を眺めながら、マスクを外してゆで卵とトーストとコーヒー。ホテルのバイキングより美味い。人々が働くために慌ただしく出かけていく姿が嬉しい。なんてったって空気がおいしい。

風憩の風景

098

Products

サイン付きの緑化システム「ガビオンロンド」

東京都墨田区

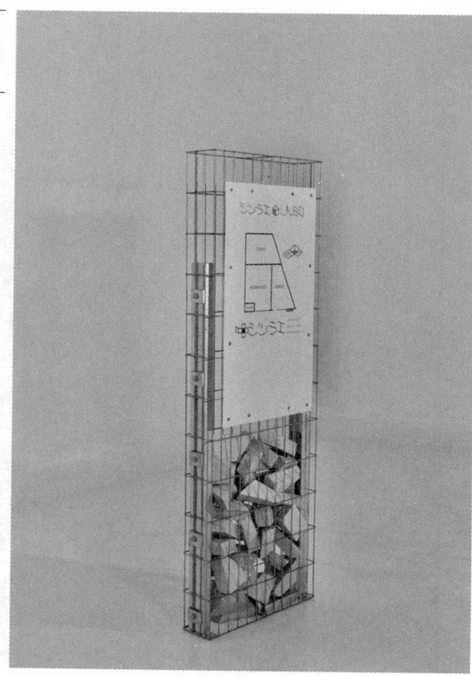

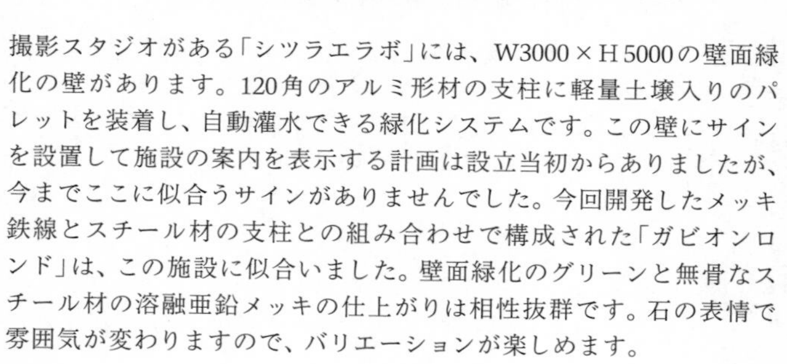

撮影スタジオがある「シツラエラボ」には、W3000×H5000の壁面緑化の壁があります。120角のアルミ形材の支柱に軽量土壌入りのパレットを装着し、自動灌水できる緑化システムです。この壁にサインを設置して施設の案内を表示する計画は設立当初からありましたが、今までここに似合うサインがありませんでした。今回開発したメッキ鉄線とスチール材の支柱との組み合わせで構成された「ガビオンロンド」は、この施設に似合いました。壁面緑化のグリーンと無骨なスチール材の溶融亜鉛メッキの仕上がりは相性抜群です。石の表情で雰囲気が変わりますので、バリエーションが楽しめます。

風憩の風景
098
Impression

ありのままの格好良さ

京都府京都市

2022.05.05

写真は京都駅八条口の近くの壁。幅3000×H4000位あったかな。いい感じに錆びが発生しています。海外からの観光客も多いと思われる京都の玄関口に、このテクスチャーはたまりません。好きです！格好つけない格好良さ！鉄板の接合部だけ錆びが発生していないのが不思議。

風憩の風景
099
Products

フレキシブルレストベンチ「オーバルギア」

東京都墨田区

ベンチではなくてレストベンチ。SHが450ではなく600～700。座板幅は200程度。レストベンチの定義は明確にはありませんが、こんなサイズ感でしょうか。今回開発したフレキシブルレストベンチ「オーバルギア」は、楕円型のセコロウッド2とアルミキャストで制作されたギアの組み合わせで成立しています。ギアを調整することにより5度ずつ角度が変化します。使用する人の年齢や身長を想定して設置できます。設置した後の角度変更は現場でも可能です。高さの変化はイージーオーダーで受け付けます。ユニバーサルでフレキシブル。楕円がお尻に心地よい。

風憩の風景
099
Impression

ポールセンPH5

東京都荒川区

2022.05.12

仕事する部屋にポールセンのPH5を取り付けました。引掛けシーリングのコードの長さ調整して、テーブル（照射面）との距離を決めていきます。光源はE26のLED電球。まったく見えません。素晴らしいプロダクトですね。他の照明消して遠くから眺めてます。

風憩の風景
100
Products

寿命を終えたソーラーパネルの再利用

東京都江東区

ソライト発売から20年。ソーラーパネルの寿命が25年と言われてるので、後5年で初回納入分の寿命がきます。その後、1万台以上の納入実績があるソライトのソーラーパネルが次々と寿命をむかえます。その時販売したメーカーとして「何もしなくて良いのか？」、ずっと考えてきました。このリサイクルガラスソラーポ「RGSLP」はそのひとつの答えです。寿命が尽きたソーラーパネルをアルミ、ガラス、シリコン、バックシートに分別して、そのガラスを粉砕しカレットにして、リサイクルガラスをグローブに使った独立電源フットライトです。カレットを溶かす温度を調整して、ガラスの結晶のフォルムをあえて残し、このマテリアルの過去のストーリーを表現しています。

風憩の風景
100
Impression

2022.05.19

界面

東京都荒川区

自分の家の前に木材を並べて屋外暴露を始めたのが7年前です。ベンチとして使用できるように脚を取り付けて、夏になるとここでビールと枝豆でした。□90のLVLに造膜塗装、半造膜塗装、浸透性塗装等の木材保護塗料を塗布して置きっぱなしにしています。色々思うことはあるのですが「界面」が大事やなあということを一番強く感じています。人と人も同じですね。国と国も同じですね。
界面（かいめん、英: interface）とは、ある均一な液体や固体の相が他の均一な相と接している境界のことである。（Wikipediaより）

※LVL＝約4mmの厚さに加工した木材を含水率８％にまで乾燥させて積層・圧着してつくられる建材

風憩の風景
101
Products

コミュニティファニチャーライティングシステム

岡山県倉敷市

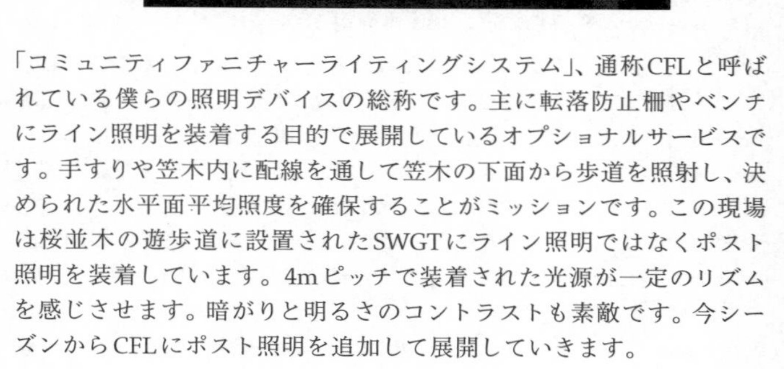

「コミュニティファニチャーライティングシステム」、通称CFLと呼ばれている僕らの照明デバイスの総称です。主に転落防止柵やベンチにライン照明を装着する目的で展開しているオプショナルサービスです。手すりや笠木内に配線を通して笠木の下面から歩道を照射し、決められた水平面平均照度を確保することがミッションです。この現場は桜並木の遊歩道に設置されたSWGTにライン照明ではなくポスト照明を装着しています。4mピッチで装着された光源が一定のリズムを感じさせます。暗がりと明るさのコントラストも素敵です。今シーズンからCFLにポスト照明を追加して展開していきます。

風憩の風景
101
Impression

2022.05.26

ずっとこのままでいて欲しい

東京都中央区

エスカレーターで5階に上がって、6階行きのエスカレーターに乗ろうとした時に飛び込んできました。塗装された白いレンガ。この表情に弱いんです。1970年の前半に設立されたDCブランドの店舗の壁です。このブランドが持つニュアンスはあの頃と変わっていません。一瞬にして、都会に憧れていた中学生の頃の自分にタイムスリップしました。いつまでもこのニュアンスでいて欲しいです。

風憩の風景
102
Products

縁の下の力持ち

岐阜県岐阜市

水辺の空間に張出したデッキを依頼された場合、構造部材はアルミ形材を勧めています。特に脚が水に浸かる場合はスチール材だと錆びやすいし、ステンレスだと高価なため、アルミ形材がベストな選択です。ただ強度的にはスチール材やステンレス材と同等というわけにはいかないので、部材メンバーの選定が重要になります。僕らが多様する断面は、Cチャンネル材。1本で強度担保がとれない場合は、背中合わせで2本使って強度を担保しています。普段は床板の下に隠れていて見えませんが、大引きや根太等、僕らが歩くスニーカーの下で自分の役割をまっとうしています。

風憩の風景
102
Impression

2022.06.02

見惚れてしまう鎧張りの壁

東京都台東区

電車通勤から車通勤に変えて2年。気分を変えるために、通勤路は4パターンぐらい持っています。最近気に入ってる通勤路は、中央通りから上野公園と不忍の池の間を通り抜け、上野の山を上って鶯谷に降りるパターン。この通勤路の上野の山の頂上付近にこの家は建っています。板目の外壁が美しい和風建築。最近木材保護塗料を塗り替えて、新築の家のように生まれ変わりました。鎧張りの壁に見とれて信号が青に変わったことに気づかずに、クラクションを鳴らされました。

※Cチャンネル材＝切断面がC字の鋼材（軽量形鋼）のこと

風憩の風景
103
Products

人道橋の高欄

愛知県半田市

人道橋の高欄の設置が完成しました。色温度3000kのライン照明付きです。笠木の中に配線を通して格子と舗装面を照射する仕様です。「SP種の強度担保をとり、照明と一体となった転落防止柵を提供する」。5年前に掲げた目標が着実に作品として増えてきました。T字の運河に掛かるこの橋は引きのスペースがあるので、真横から橋を撮影することができました。頭上の三日月が笑っていました。

風憩の風景

103

Impression

2022.06.09

舗装パターンが誘導する地下空間

東京都中央区

たくさんの路線が通過する地下鉄駅では、改札を抜けて地上に出るまでは色んな方向から人が押し寄せてきて、動線を決めることが難しい。スマートフォンを見ながら歩いている人としょっちゅうぶつかっている。この白い空間は、床の舗装の張りパターンと天井の抜きパネルのラインが、同じ斜めの方向に走っている。この方角の先には、商業施設の地下の入り口が待っている。誘導されるようにその方向に向かって歩いて行く。目的の場所にたどり着くまで、地上に出るまで指示に従います。

風憩の風景
104
Products

ピクニックテーブルタイプの新製品

東京都墨田区

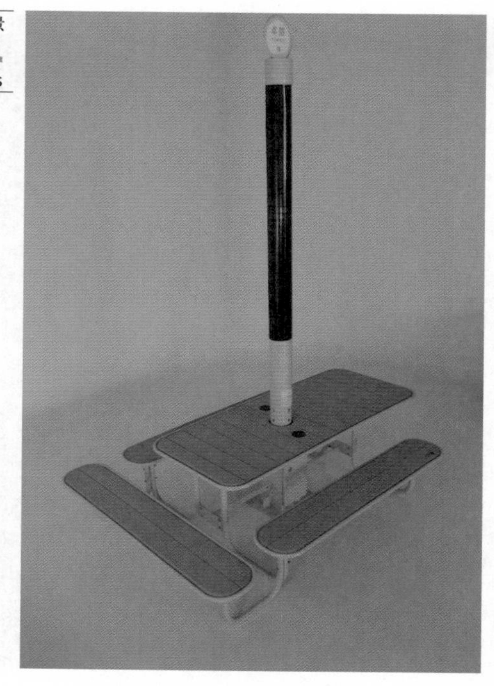

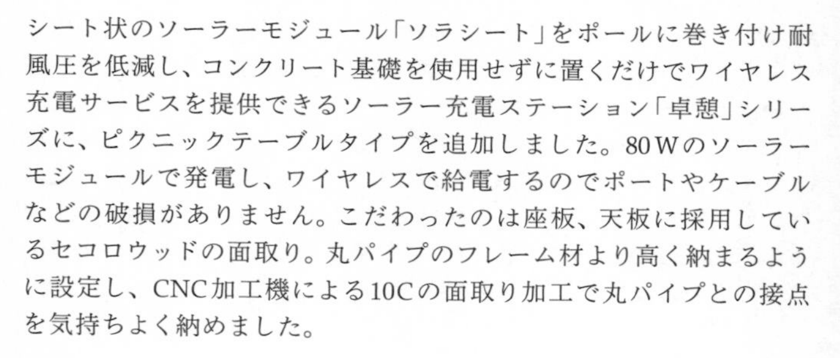

シート状のソーラーモジュール「ソラシート」をポールに巻き付け耐風圧を低減し、コンクリート基礎を使用せずに置くだけでワイヤレス充電サービスを提供できるソーラー充電ステーション「卓憩」シリーズに、ピクニックテーブルタイプを追加しました。80Wのソーラーモジュールで発電し、ワイヤレスで給電するのでポートやケーブルなどの破損がありません。こだわったのは座板、天板に採用しているセコロウッドの面取り。丸パイプのフレーム材より高く納まるように設定し、CNC加工機による10Cの面取り加工で丸パイプとの接点を気持ちよく納めました。

2022.06.16

懐かしい写真

東京都荒川区

昨年末他界した親父の荷物を整理していたら、自分の6年生時の集合写真が出てきました。思わずスマホで撮影しました。一挙に半世紀前にタイムスリップです。男子生徒10人の名前すべて覚えてました。名字と名前の両方とも覚えていたのが8人。顔と名前が一致するんですね。性格まで思い出しました。最近の記憶はさっぱりですが…。その瞬間を切り取る写真の威力を再確認しました。やっぱ写真はポートレイトが一番面白いですね。

風憩の風景
105
Products

フルオーダーの目隠しフェンス

石川県加賀市

柴山潟を望む湖畔に位置する片山津温泉の遊歩道に、金網を使ってフルオーダーで目隠しフェンスを製作しました。温泉の湯船からは柴山潟と白山が見えるようにとの要望ですが、もちろん遊歩道からは湯船が見えては製品として成立しません。各温泉の湯船の高さとフェンスの設置高さを考えながら、4種類のタイプを用意しました。初めて使用したスチール製の金網は、普段は落石防止用途で採用されているマテリアルです。無骨な表情の金網とアルミ形材の組み合わせに、新しい可能性を感じました。

風憩の風景
105
Impression

2022.06.23

千秋楽後の土俵

東京都墨田区

五月場所千秋楽を枡席で見ました。2階の椅子席の方が身体は楽なのですが、枡席で感じる力士の息づかいはここでしか味わえません。行司を胴上げする神送りの儀式が終了後、土俵の解体が始まりました。国技館では、粘土質で崩れにくいといわれる隅田川流域の荒木田ヶ原で採れた「荒木田土」を40t使用しているとのこと。自分の住んでいる街の土が使われていることに、少し自慢したい気持ちになりました。

風憩の風景
106
Products

駅前広場の4兄弟

青森県十和田市

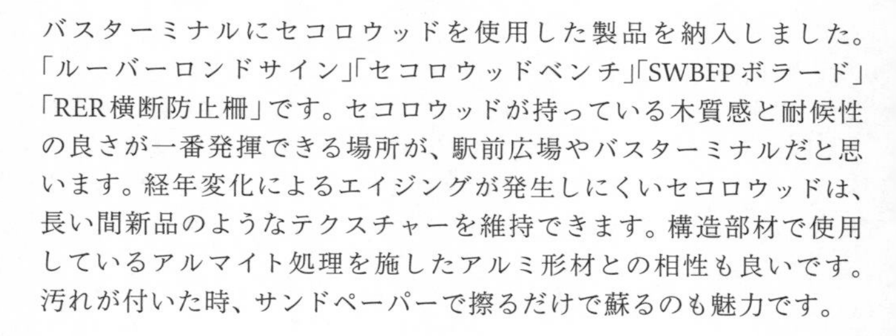

バスターミナルにセコロウッドを使用した製品を納入しました。「ルーバーロンドサイン」「セコロウッドベンチ」「SWBFPボラード」「RER横断防止柵」です。セコロウッドが持っている木質感と耐候性の良さが一番発揮できる場所が、駅前広場やバスターミナルだと思います。経年変化によるエイジングが発生しにくいセコロウッドは、長い間新品のようなテクスチャーを維持できます。構造部材で使用しているアルマイト処理を施したアルミ形材との相性も良いです。汚れが付いた時、サンドペーパーで擦るだけで蘇るのも魅力です。

風憩の風景
106
Impression

成就院の紫陽花

神奈川県鎌倉市

2022.06.30

梅雨の中休みの曇天の日、由比ヶ浜を見下ろせる眺望と紫陽花で有名な寺、成就院に行ってきました。家の周りや都心の歩道に咲いている普段目にしている紫陽花と違って、色んな種類の紫陽花があることを初めて知りました。僕らが見慣れているのはホンアジサイ。そのほかにガクアジサイ、ヤマアジサイ、セイヨウアジサイ、アメリカノリノキの5種類があるんだとか。花手水に浮かんでいる紫陽花を見ていると、吹き出していた汗がスーッとひいてきました。

風憩の風景
107
Products

川沿いの遊歩道にベンチを設置

群馬県前橋市

川沿いの遊歩道にベンチを設置しました。新しい水辺の活用の可能性を切り開くための官民一体の協働プロジェクト、「ミズベリング」の事業です。無水酢酸処理材の「アコヤ」を使用し、イージーオーダーで長さ、高さ、幅を変化させて数種類のタイプを制作しました。転落防止柵の近くにはカウンターを設置して、より水辺を感じながら過ごせる装置も配置されています。夜になると色温度を押さえたライン照明がベンチの周りを照らし、地方都市の落ち着いた水辺空間を演出しています。

風憩の風景
107
Impression

2022.07.07

日比谷野音で呑みすぎバイ

東京都千代田区

10年ぶりの日比谷野音。2019年のフジロック以来、3年ぶりのフェスに参戦してきました。お目当ては大分県日田市出身のコージー大内。日田弁で唄う弁ブルースは唯一無二のスタイルです。野音の夕景と弁ブルースが郷愁をそそりました。風が吹いて昼間の暑さが落ち着き、高層ビルの灯りが見えてくる野音のこの時間はここでしか味わえません。マスク無しで見られる立ち見席はアルコールOK。気がつくと缶ビールが5本目でした。「コージー呑みすぎバイ」。

風憩の風景
108
Products

隅田川テラス連絡化事業2件目完成

東京都江東区

隅田川テラス連続化事業の「大島川水門のテラス連絡橋」が完成しました。2年前に完成した「月島川水門のテラス連絡橋」に続いて2件目です。ステンレス製の橋梁の上に、アルミ根太とアルミと再生木材のハイブリッド構造の床板。アルミ製のSP種高欄にはライン照明が組み込まれています。地域住民の皆様には、ウォーキングやジョギングコースとして利用されています。水辺を感じるテラスを通って、上流から下流へ、左岸から右岸へ。周遊できるテラスが完成する日が待ち遠しいです。

風憩の風景
108
Impression

2022.07.14

街角スナップ素晴らしいフォームの女の子

東京都渋谷区

渋谷に映画見に行って早く着いたので、久しぶりスナップ撮影。人混みが戻っている渋谷はマスク比率多し。普段通勤している平日の千代田区にはノーマスクの人がチラホラ見られるのに、休日の渋谷はほぼ100％マスク着用でした。目の前を横切っていった、右の腕と右の膝の角度、左の手と左の脚の角度がぴったり揃っている、素晴らしいランニングフォームの女の子に感謝。良い写真になりました。

風憩の風景
109
Products

京浜運河に転落防止柵を設置

東京都大田区

羽田空港に向かうモノレール沿いに流れる京浜運河に転落防止柵「SWGT」を納品しました。水際から2m位内側に入った位置に設置されています。水際と柵の空間には、普段は入ることはできません。この現場では、管理用に門扉の依頼を受け、柵のデザインに合わせて制作しました。今回は片開きでしたが、両開きや忍び返し付きなど様々なオーダーに対応しています。

風憩の風景
109
Impression

ひまわり

東京都江戸川区

2022.07.21

毎年夏になると、ひまわりのアップ写真を撮ってます。その時々でひまわりの持つイメージが違って見えるから不思議です。今年は４つの同心円を感じました。じっと見てるとちょっと怖いです。

風憩の風景

110

Products

サイン「ルーバーロンド」

東京都江戸川区

セコロウッドを構造材にしたサイン「ルーバーロンド」。発売を初めて7年になります。サイズ違いで9種類を規格化していますが、角度がついているタイプは1種類です。サインを見ながら正面を見ると、表示板に描かれた内容が理解できます。高さを低くした角度付きサインは風景を理解するサインです。

風憩の風景
110
Impression

2022.07.28

バラ「オールドダッチ」

千葉県柏市

知り合いの会社がキャンプ場をオープンしました。レセプションパーティーに参加するため、車で会場に向かう途中に花束を買いに行きました。その花屋さんでこのバラを見つけてビックリしました。新しい花なのにこのアンティーク感。オールドダッチという品種らしいです。若いのに老成しているエイミーワインハウスみたいでした。1本買って帰りました。

風憩の風景
111
Products

改良を重ねる高欄

東京都荒川区

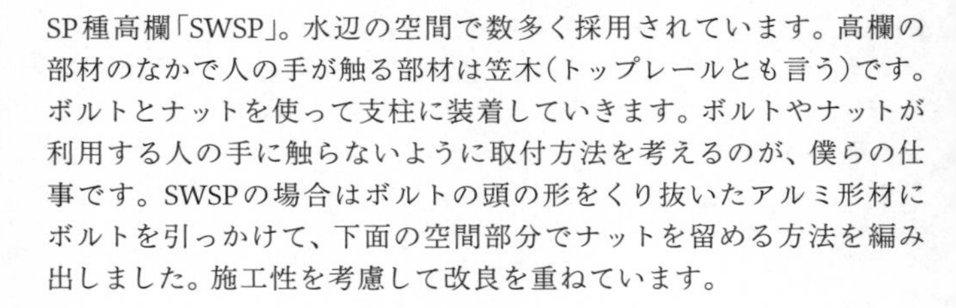

SP種高欄「SWSP」。水辺の空間で数多く採用されています。高欄の部材のなかで人の手が触る部材は笠木(トップレールとも言う)です。ボルトとナットを使って支柱に装着していきます。ボルトやナットが利用する人の手に触らないように取付方法を考えるのが、僕らの仕事です。SWSPの場合はボルトの頭の形をくり抜いたアルミ形材にボルトを引っかけて、下面の空間部分でナットを留める方法を編み出しました。施工性を考慮して改良を重ねています。

風憩の風景
111
Impression

2022.08.04

願いごとから見える家族の景色

福岡県田川市

生まれ育った町に、風鈴が飾られた寺があるという噂を聞いて行ってみました。何十年も住んでいたのに初めて知りました。涼しい音色を奏でながら、一万個以上の風鈴が夏の風にふかれて舞っていました。短冊に書かれたさちかちゃんの願いごとに、家族の景色が見えました。ママ、ダイエットガンバレ！

風憩の風景
112
Products

状況に応じた対応は当たり前

東京都荒川区

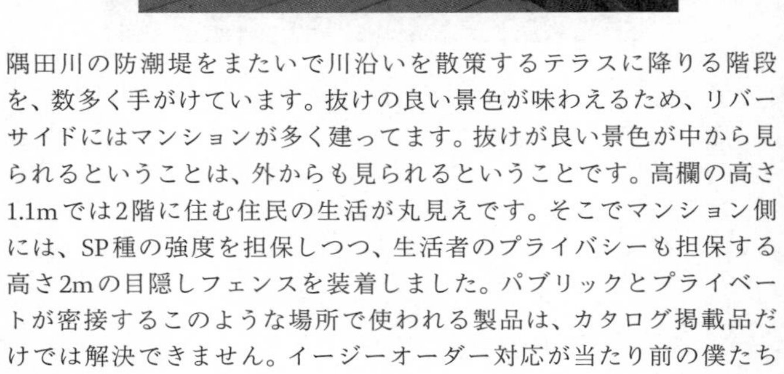

隅田川の防潮堤をまたいで川沿いを散策するテラスに降りる階段を、数多く手がけています。抜けの良い景色が味わえるため、リバーサイドにはマンションが多く建ってます。抜けが良い景色が中から見られるということは、外からも見られるということです。高欄の高さ1.1mでは2階に住む住民の生活が丸見えです。そこでマンション側には、SP種の強度を担保しつつ、生活者のプライバシーも担保する高さ2mの目隠しフェンスを装着しました。パブリックとプライベートが密接するこのような場所で使われる製品は、カタログ掲載品だけでは解決できません。イージーオーダー対応が当たり前の僕たちの出番です。

風憩の風景
112
Impression

ラジオ体操

東京都荒川区

2022.08.11

近くの小学校で毎朝6時25分からラジオ体操やってます。早起きの蝉の鳴き声と朝の涼しい風を感じながら、ラジオ体操の歌からラジオ体操第２まで。体操が始まる前の放送で「今日は沖縄県にやってきました」、「今日は石川県からです」なんてアナウンスが入ると、各地の友人たちを思いだして今日も張り切って身体動かすぞーって気分になります。ハンコを全部もらえるとご褒美もあります。

風憩の風景
113
Products

新作のパーゴラ「木漏れ日アルーバー」

千葉県柏市

「木漏れ日アルーバー」。最近発売したパーゴラの新作です。レーザー加工した9枚の開口パネルを桟に取り付けて、桟の直線ラインと開口部が重なるように影になる製品です。カタログ掲載は1タイプですが、プレス加工ではなくレーザー加工で抜いていくため、デザインは自由。好きなカタチにアレンジできます。

風憩の風景
113
Impression

2022.08.18

ベトナムの木製ダンベル

ベトナム ファンティエット

ホーチミンから海岸沿いをニャチャンまでドライブしました。途中のファンティエットというリゾート施設を見学中に面白いもの発見。ポリネシアのタトゥーのような文様が彫刻された木製のダンベルです。日本で見た木製ダンベルとはまったく違った印象を受けました。黒光りしたハードウッドの質感と彫刻の繊細な線。マッチョとカーボンニュートラル。二酸化炭素を固定した地球に優しいダンベル。なんか、面白い製品考えよー。

風憩の風景
114
Products

ライトを組み込んだベンチ「ハコベンライト」

千葉県柏市

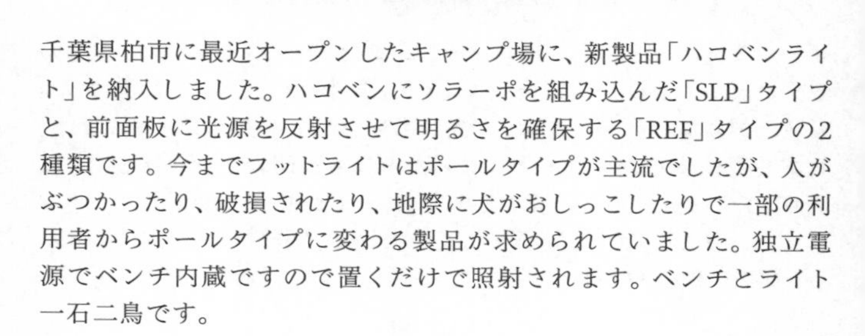

千葉県柏市に最近オープンしたキャンプ場に、新製品「ハコベンライト」を納入しました。ハコベンにソラーポを組み込んだ「SLP」タイプと、前面板に光源を反射させて明るさを確保する「REF」タイプの2種類です。今までフットライトはポールタイプが主流でしたが、人がぶつかったり、破損されたり、地際に犬がおしっこしたりで一部の利用者からポールタイプに変わる製品が求められていました。独立電源でベンチ内蔵ですので置くだけで照射されます。ベンチとライト一石二鳥です。

風憩の風景
114
Impression

2022.08.25

アスファルト舗装の歩道

福岡県福岡市

新しくなった歩行空間に、タイル舗装ではないアスファルト舗装の歩道ができていました。幅員2～3mの歩道ならアスファルト舗装の現場もありますが、この現場は8.5mの新設された歩行空間。研ぎ出されたアスファルトには地元の石が採用されています。微妙に色の違うグレーが3種類。歩いて気持ち良い現場でした。点字シートとのコントラストも鮮やかです。

風憩の風景
115
Products

腐朽ベンチ

東京都墨田区

ふきゅうという言葉。漢字にすると不朽（いつまでも朽ちない）、普及（広く一般にいきわたる）、腐朽（腐って崩れていたむ）、不急（急いでする必要がない）、不休（休まないで活動する）等色々な意味があります。埼玉県の嵐山町で森の管理をやってる友人Kが、「腐朽ベンチ考えたんで一緒に普及しましょう！」って言ってきました。林業を維持するために、あえて防腐処理をせずに低温乾燥のみで仕上げられた90角の角材を使用したベンチです。木材をたっぷり使用した、かたまり感のあるフォルムです。二酸化炭素が固定されています。

風憩の風景
115
Impression

2022.09.01

フキュウライト

東京都荒川区

フキュウベンチで使用する90角の角材の表面が、朽ちて使用できなくなった場合は表面をスライスして80角に仕上げます。ひと皮むいて再利用。独立電源ユニットを取付て、フキュウライトとして生まれ変わります。

風憩の風景
116
Products

ボラード「SWBFP-160K」
青森県十和田市

セコロウッドのボラード「SWBFP-160K」。バス停の歩車道分離の車止めとして利用されています。この製品に使用しているセコロウッドは、75×75×20tのエルアングルです。オリジナルの型をつくって制作しました。4本の材料の隙間から見える10mmの目地が、シュッとした印象を与えます。空き缶やペットボトルが乗らないようにキャップはアール形状にしてます。半球体をスパッと切った時にできる半円の面がポイントです。

風憩の風景
116
Impression

2022.09.08

福岡出張の楽しみ

福岡県福岡市

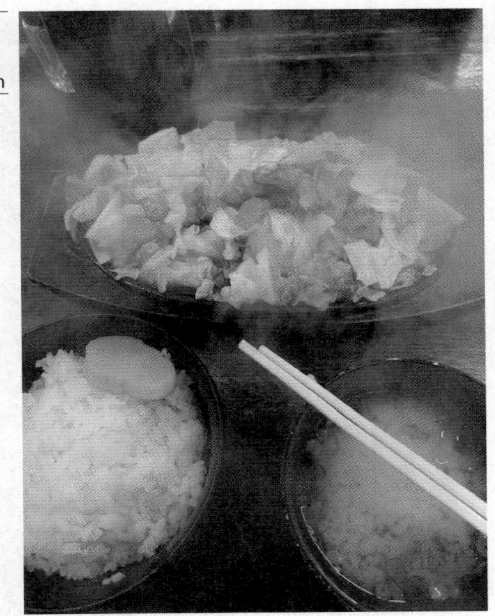

「福岡のソウルフード食べ行きましょう」。福岡に出張いくたびに美味しい昼飯を紹介してくれるYちゃんに連れられて、南福岡駅近くの「びっくり亭本家」に行きました。注文して待つこと15分、焼肉と白ごはんと味噌汁登場。鉄板の下に木片を敷いて肉汁とキャベツ汁を辛味噌で和える。汗かきながら、無言で、ひたすら食べる快感。部活の帰りの中学生に戻った感がありました。最後に残しておいた、オレンジのタクワン2枚で〆ました。

風憩の風景
117
Products

日陰パーゴラ「アルーバー」

東京都葛飾区

150角のアルミ形材の支柱と、セコロウッドのルーバー材で構成された日陰パーゴラの「アルーバー」。15年前に4本の支柱で空間を仕切る3m×3mのモジュールからスタートしました。基本の収まりは桁にルーバーを吊って固定しますが、今回は藤棚として使用するということで梁の上に2本の桁を流してルーバーを乗っけました。藤の枝が瞬く間に成長して、気持ち良い日陰をつくってました。アルミの支柱では構造の担保がとれないのでスチール材の150角を使用しています。

風憩の風景

117

Impression

2022.09.15

新たな色に挑戦

東京都千代田区

僕の場合、新しい製品のアイデアが浮かんで、スタディ重ねていって、機能が決まり、収まりが決まり、フォルムが決まり、仕上げも決まって原価も見えてきて、これならいけそうだ！と考えて、最後に色の問題が出てきます。僕らの業界は彩度を抑えた景観3色といわれる色合いがYR系のグレー、ブラウン、ベージュを使用するのが一般的です。ですがそれ以外の色を使いたい場合は、日塗工（日本塗料工業会）の色見本帳を見てマンセル値を変化させながら、現物の色見本をつくって決めていきます。この作業は苦手なので、今まではいつも景観3色から選んでしまいました。が、最近読んだ本に刺激受けて、これからは設置される現場をしっかりイメージして、3色以外の色に挑戦しようと思ってます。

風憩の風景
118
Products

23年ぶりの再会

東京都江東区

ユニバーサル手すり「憩木」の手すり材を交換しました。写真は23年前に設置した時の写真です。当時は手すりの材料に天然木材を使用していました。コンクリートに埋め込まれた支柱はそのまま使用して、経年劣化で痛んできた手すり材だけφ40のアルミ製に交換です。23年間ブラッシュアップしながら使用しているブラケット類は、常にφ40用だから一部の交換が可能なんです。憩木の納品を初めて23年。これからもこのようなリニューアル物件が増えると嬉しいですね。

風憩の風景
118
Impression

月灯りで一献

沖縄県糸満市

2022.09.22

「浜辺に行って、波の音聴きながら月の灯りで呑もうや」と友人Ｙが言いました。サーモスに水と泡盛をブレンドして、歩いて3分の浜辺へ。月の灯りの1ルクスが都会の照明灯のように明るい。波の音と月の灯り。贅沢な時間でした。

風憩の風景
119
Products

セコロウッドカウンター柵「SWCO」

埼玉県志木市

今年の夏に発売開始したセコロウッドカウンター柵「SWCO」。P種の強度を担保した転落防止柵にカウンターの機能を持たせました。ハイチェアと組み合わせて遮るものが無い河川沿いの公園のデッキ空間に設置しました。こんな空間には縦格子じゃなくて、ワイヤーの細いラインが最適です。公園内では地元で有名なパン屋さんが営業しています。パンを食べながら親子4人でにぎやかな時間を過ごしていました。

風憩の風景
119
Impression

2022.09.29

床も人も人に削られて味が出る

東京都荒川区

築40年の家をリフォームして住み始めて16年。リビングの床材にフローリングじゃなくて、国産の針葉樹を使うことは決めていました。表面の塗装はどうしようかなあと思って色々調べていました。が、「スーパーウルトラハードウレタンコートプレミアムEX」の様な戦隊ヒーローみたいな名前のついたツルツルした塗装ばかりで、どうもしっくりきませんでした。「何もせんでそのままでいいやん。使う間にいい味がでるやろ」。子供の頃住んでた家の縁側を思い出して、塗装無しでオーダーしました。いつも歩くところは夏目が削られて、自然に出来た浮造り加工。足の裏に気持ち良いです。僕も出会う人に削られて、こんな風な歳の取り方したいですね。

風憩の風景
120
Products

安全と憩いと賑わいづくり

埼玉県志木市

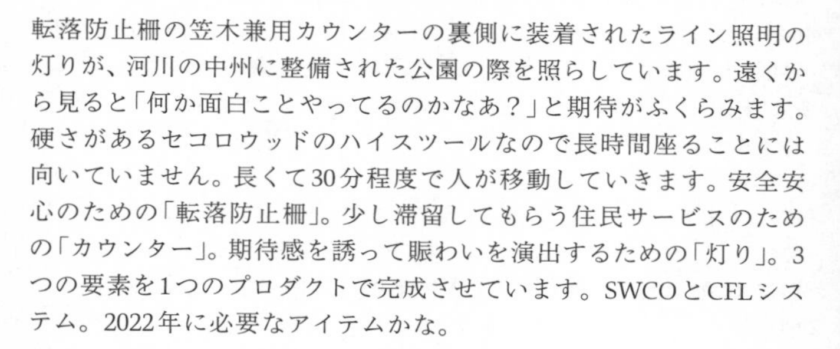

転落防止柵の笠木兼用カウンターの裏側に装着されたライン照明の灯りが、河川の中州に整備された公園の際を照らしています。遠くから見ると「何か面白ことやってるのかなあ？」と期待がふくらみます。硬さがあるセコロウッドのハイスツールなので長時間座ることには向いていません。長くて30分程度で人が移動していきます。安全安心のための「転落防止柵」。少し滞留してもらう住民サービスのための「カウンター」。期待感を誘って賑わいを演出するための「灯り」。3つの要素を1つのプロダクトで完成させています。SWCOとCFLシステム。2022年に必要なアイテムかな。

風憩の風景
120
Impression

2022.10.06

There is No Time

東京都千代田区

少し秋の感じが漂い始めた昼休み、神田川沿いを散歩しました。エアコンの室外機に挟まれた人が黙って正面の壁を見つめていました。ミント色の外壁に文字を入れてレイアウトしたら面白いイメージになると思って撮影しました。その時イヤホンから流れていたLou ReedのThere is No Timeの文字を入れました。赤いトマレの標識が効いてます。

風憩の風景
121
Products

ハッピでハッピー、神田のサイン

東京都千代田区

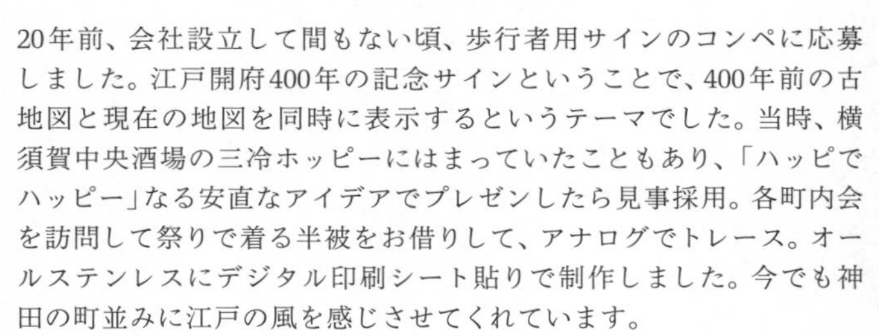

20年前、会社設立して間もない頃、歩行者用サインのコンペに応募しました。江戸開府400年の記念サインということで、400年前の古地図と現在の地図を同時に表示するというテーマでした。当時、横須賀中央酒場の三冷ホッピーにはまっていたこともあり、「ハッピでハッピー」なる安直なアイデアでプレゼンしたら見事採用。各町内会を訪問して祭りで着る半被をお借りして、アナログでトレース。オールステンレスにデジタル印刷シート貼りで制作しました。今でも神田の町並みに江戸の風を感じさせてくれています。

風憩の風景
121
Impression

2022.10.13

最近の花火大会

埼玉県鴻巣市

花火大会に行きました。オープニングと同時に始まったドローンを使ったポケモンショーに釘付けになりました。最近の国際イベントで良く見かける演出ですが、モニターの中じゃなく実際みると、そのスケール感と完璧な飛行コントロールに感心しました。その後始まった音と匂いと燃えかすが落ちてくる昔ながらの花火。目だけではなく五感で味わえます。打ち上げタイミングによって感度の度合いが違ってくる演出も素晴らしいです。デジタルとアナログ甲乙つけがたい夜でした。

風憩の風景
122
Products

ベンチの肘掛けとキャスター

東京都国分寺市

規格品のハコベンには肘掛け付きタイプはありません。必要なら今回のようにイージーオーダー対応できるからです。ベンチに肘掛けを取り付ける場合の機能は、(1) 立ち上がる時の補助としての機能、(2) 寝転び防止としての機能、(3) 座る位置を仕切る為の機能の3つがあると思います。が、この現場の肘掛けにはもう一つ機能があります。このハコベンには脚にキャスターがついていて、移動できるようになっています。移動時のハンドルとして肘掛けが役に立ちます。「イベント時にハコベンを移動したい！」という要望は増えてきました。肘掛けとキャスター。もっと便利な新しいオプションを考えます。

風憩の風景
122
Impression

2022.10.20

モノレールからのダイナミックな景色

東京都大田区

最近はLCCに乗って旅に出ることが増えました。その場合は成田空港を利用しての発着になります。京成スカイライナーに乗って田園風景の中を飛ばして行きます。窓越しの景色には目もくれずにPCいじってます。最近久しぶりに羽田空港発着の便を利用しました。モノレールから見える夕暮れの空と海のダイナミックな景色はここでしか味わえません。スマホやPCいじらずに、車窓からの景色を音楽を聴きながら楽しむ。リラックスできるひとときです。

風憩の風景
123
Products

目隠しパネル

東京都世田谷区

SP種高欄「SP-2P」。縦格子にポリカーボネートのパネルを装着して、格子の隙間からの視線を遮るように設計されています。この現場では、目隠しパネル設置の要望もありました。その場合、高欄の支柱の外側に目隠しフェンスの支柱を抱き合わせて装着する方法と、今回のように笠木を破って高欄支柱をフェンスの高さまで伸ばして、目隠しパネルを装着する2通りの方法があります。それぞれにメリット、デメリットありますが、笠木破りの方法だと裏側から見たときの見え方がスマートです。裏側からの目線にも注意を払う、生まれ変わった下北沢らしい選択だと思います。

風憩の風景
123
Impression

2022.10.27

1基に1人、贅沢なベンチ利用

東京都新宿区

恒例のランチ後散歩。夏が終わって最近目につくのは、ビルの谷間の広場のベンチに座っている人が増えたこと。この日は、3人掛けの2000位の長さのベンチ6基に各1人の計6人。ソーシャルディスタンスな使い方です。僕も座りたかったけど遠慮しました。これからのベンチの長さは600 ～ 900の一人掛けスツールタイプが基本かも。

風憩の風景
124
Products

撫でられる車止め

兵庫県神戸市

2005年、駅前広場の案件で横断防止柵と車止めの提案依頼を受けました。キューポラがあった町からの依頼でしたので、鋳鉄の材料が活かせるデザインを考えました。他の素材では表現できない、信号待ちの歩行者が思わず触りたくなるような「コブ」のようなフォルムを乗せた案が採用されました。それから17年、出張で神戸の三宮を歩いていると、依頼された町ではないのにその製品に出くわしました。どこかのディーラーが採用してくれたものだと思います。歩行者に触られてツルツルになったコブ。ポリウレタン塗装は剥げてましたが、下処理のドブ漬け（溶融亜鉛メッキ）のおかげで、サビはまったく発生していませんでした。まだまだ撫でてもらえますね。

風憩の風景
124
Impression

Punk Rock Culture

Italia Milano

2022.11.03

ザ・クラッシュのロンドンコーリングのジャケット、ポールシムノンのフェンダー・プレシジョン・ベースをクソッタレなビニ傘に持ち替えて、ツートーンカラーのバンクシー風のイラストで表現。風であおられて使いものにならなくなったビニ傘に対する怒りが伝わります。「だから何？」って思うけど、パンク世代はたまりません。

ザ・クラッシュ／The Clash。1976年から1986年にかけて活動したイングランド出身のパンク・ロックバンド。

風憩の風景
125
Products

孫に褒められた転落防止柵

徳島県徳島市

鉄道オタクの孫と、男二人旅しました。岡山から高松。そこから徳島まで各駅停車の旅です。次の目的地の牟岐線の発車まで時間があったので、ひょうたん島クルージングに行きました。アルミ製のポンツーンに設置されたワイヤータイプのSWGTが、乗船客の転落を防止してました。広告看板が装着され、見た目はずいぶん変わってましたが、新しく設置された上屋との相性も良く、ボランティアでクルージングを運営している運営者の役に立ってました。孫に自慢しました。「じじ偉い！」って褒められました。この仕事をやってて良かったです。

風憩の風景
125
Impression

2022.11.10

イタリアでのショールーム巡り

Italia Milano

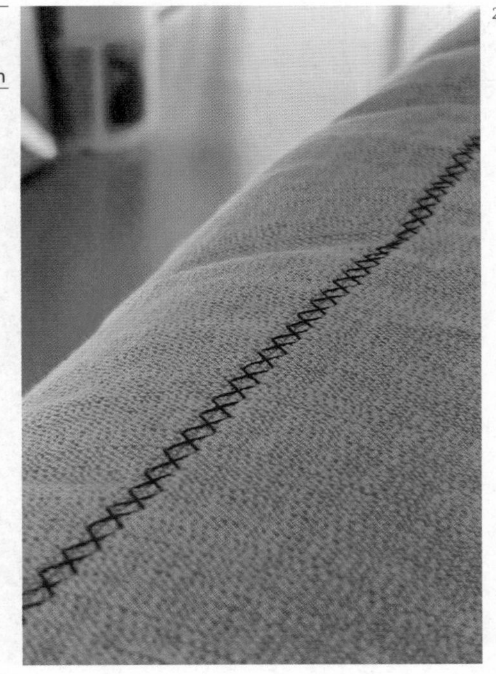

ミラノに住んでる知人に、家具のショールームをいくつか案内してもらいました。高級家具ブランド「デ・パドヴァ」のショールームにポール・スミスとコラボした家具が展示されてました。イタリアならではの木材加工されたソファのフレームと、ポール・スミスらしいカジュアルなテイストを持つファブリックを使ったクッション。白地に赤のクロスステッチが印象的でした。ワールドカップ開催の2022年、さりげなくイングランドの香りがします。

風憩の風景
126
Products

風憩セコロの存在意義

神奈川県横浜市

最近、ハコベンは公園以外の場所に設置されるケースが増えてきました。不特定多数の市民が利用し、夜間も解放している公園に設置される場合は、地面を掘って独立基礎を設置し、その上にハコベンの脚に装着された金属拡張アンカーで動かないように固定します。この現場のように公園以外の場所に設置する場合は、キャスターを付けて動かせるようにしたり、アジャスターを付けて高さを調整できるようにしたり、ベンチの使い方によって置き方も変わってきます。もちろんどのようなオーダーにも対応することが、僕たち「風憩セコロ」の存在意義（パーパス）です。

風憩の風景

126

Impression

2022.11.17

欧州の暮らしを垣間見る運河沿いの風景

Italia Milano

古い街の運河沿いをブラブラ散歩しました。日本人がイメージする欧州の風景が夕景と共に広がっています。店舗から滲み出し舗道を浸食するテーブルとチェア。店舗からの灯りが街の雰囲気をつくっています。ポール型の照明は少なく、電線から宙づりになったむき出しの照明が、運河の真ん中を通っていました。空が抜けて見えました。

風憩の風景
127
Products

ユニバーサルデザインにも対応の「卓憩」

東京都新宿区

独立電源ソーラーチャージャー「卓憩(たっけい)」。発売以来SDG s関係のイベント用に借り出されることが増えてきました。この日は、新型コロナ第7波と8波の間の休日の公園でのイベントです。5種類のバリエーションを用意している卓憩ですが、今回はスツールの間隔を空けてソーシャルディスタンスが確保できるタイプです。車椅子がテーブルまで近寄ることが可能なユニバーサルデザインにも対応しています。シートタイプの太陽電池を使用しているため、風圧を受ける面積が小さいので基礎が必要なく置くだけで利用できます。配線が必要なくハンドリングもユニバーサルです。

風憩の風景
127
Impression

Italia Milano

イタリア人の美意識

2022.11.24

お城まで歩いて飯食いに行こうとブラブラしてたら、19世紀の初めナポレオンがつくらせたといわれる平和の門が現れました。小文字が見当たらないセリフフォントのレリーフや、戦いの様子がリアルに表現された彫刻がのった屋根に圧倒されます。でも一番面白かったのが、門の側面に現れている大理石の模様です。色々な表情やサイズの大理石をあえて選んで完成した大面積のテクスチャーとパターンに、イタリア人の美意識を感じました。

風憩の風景
128
Products

津波避難タワー

三重県伊勢市

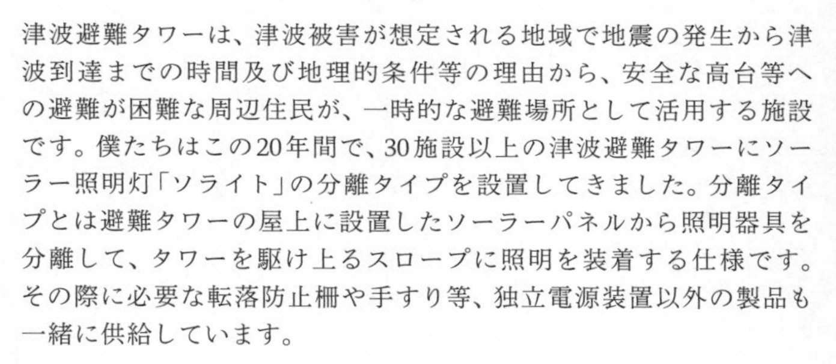

津波避難タワーは、津波被害が想定される地域で地震の発生から津波到達までの時間及び地理的条件等の理由から、安全な高台等への避難が困難な周辺住民が、一時的な避難場所として活用する施設です。僕たちはこの20年間で、30施設以上の津波避難タワーにソーラー照明灯「ソライト」の分離タイプを設置してきました。分離タイプとは避難タワーの屋上に設置したソーラーパネルから照明器具を分離して、タワーを駆け上るスロープに照明を装着する仕様です。その際に必要な転落防止柵や手すり等、独立電源装置以外の製品も一緒に供給しています。

風憩の風景
128
Impression

死ぬまで現役

Italia Milano

2022.12.01

日常的に使われているモノは美しいことがこの写真を見て分かります。数十年は使用されていると思われる鉄と木材と鍵。その年月と共にできた深い皺と錆。現役で使用されていることによる油のツルツル感とメンテナンスの跡。人の役に立ってきた年月がその表情に表れています。歳をとってもプレイヤーとして現役でいることの大事さを痛感ました。死ぬまで現役ですね。

風憩の風景
129
Products

二見ヶ浦神社の遊歩道

三重県伊勢市

観光地三重県伊勢市の二見ヶ浦神社にある夫婦岩。それを見るための遊歩道にアルミ製転落防止柵「ビスタ」が設置されました。航海の安穏を祈念して祭られた「かえる（帰る）」の置物を端末にして、100m程度の距離を曲がりながら続いています。支柱の足下の埋込部はベースプレート式を納品しましたが、玉石の洗い出し仕上げの台座の化粧がスッポリ施され、ボルトが見えなくなっていました。突起物を無くして歩行者が歩きやすいように工夫した観光地ならではの気遣いと、景観にマッチした綺麗な設えに感心しました。

風憩の風景
129
Impression

駅ホームのベンチの向き

大阪府大阪市

2022.12.08

関西で始まった、駅のホームのベンチを90度変更して線路と並行にする配置。関東でも見かけるようになりました。線路への転落防止を目的としたこの配置、ホームドアの設置されていないホームで有効のようです。もともとは酒に酔った乗客が立ち上がってすぐ線路の方に歩き、そのまま転落することが多いことが行動特性で判明し、それを防止すべくベンチの向きを変えてしまう発想からスタートしたそうです。空間におけるベンチの向きについて、またひとつ大事なことを教えられました。

風憩の風景
130
Products

アルミ製パーゴラ「アルーバー」

福岡県福岡市

晩秋、午前9時頃にアルミ製パーゴラ「アルーバー」の屋根タイプの撮影に行ってきました。アルーバーの下に置かれた野外卓「YGT」に太陽の光が直接当たっていて、少し寒い朝の空気の中でぽかぽかと暖かい心持ちになりました。あと数時間して太陽の位置が高くなってくるとこのベンチも影になります。その時間には気温も上がってきて影の中のほうが気持ち良いかもしれません。人が心地よいと感じる環境指標、「WGBT（ダブリュージービーティー）」と「SET*（エスイーティースター）、両方の値を勉強しながら、2023年の夏に向けた暑さ対策製品の開発が来年のテーマのひとつです。

風憩の風景
130
Impression

2022.12.15

父が仕事に向き合ってきた姿勢を知る

東京都千代田区

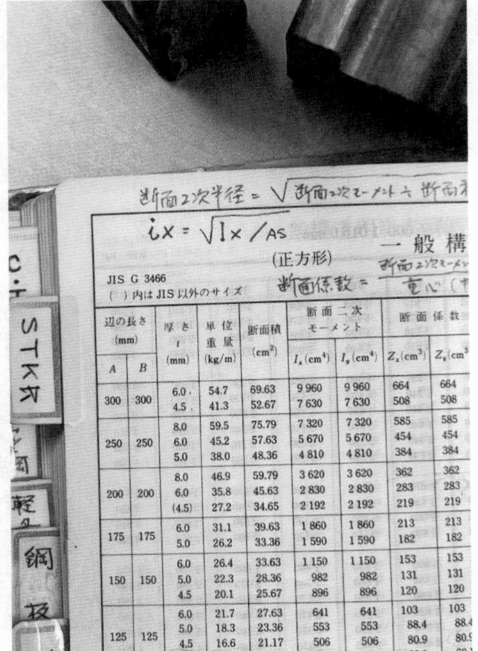

断面2次半径 = √断面2次モーメント ÷ 断面积

$ix = \sqrt{Ix / AS}$

一般構

(正方形)

断面係数 = 断面2次モーメント / 重心（

JIS G 3466
( ) 内はJIS以外のサイズ

辺の長さ (mm) A	辺の長さ (mm) B	厚さ t (mm)	単位重量 (kg/m)	断面積 (cm^2)	断面二次モーメント I_x (cm^4)	断面二次モーメント I_y (cm^4)	断面係数 Z_x (cm^3)	断面係数 Z_y (cm^3)
300	300	6.0	54.7	69.63	9 960	9 960	664	664
		4.5	41.3	52.67	7 630	7 630	508	508
250	250	8.0	59.5	75.79	7 320	7 320	585	585
		6.0	45.2	57.63	5 670	5 670	454	454
		5.0	38.0	48.36	4 810	4 810	384	384
200	200	8.0	46.9	59.79	3 620	3 620	362	362
		6.0	35.8	45.63	2 830	2 830	283	283
		(4.5)	27.2	34.65	2 192	2 192	219	219
175	175	6.0	31.1	39.63	1 860	1 860	213	213
		5.0	26.2	33.36	1 590	1 590	182	182
150	150	6.0	26.4	33.63	1 150	1 150	153	153
		5.0	22.3	28.36	982	982	131	131
		4.5	20.1	25.67	896	896	120	120
125	125	6.0	21.7	27.63	641	641	103	103
		5.0	18.3	23.36	553	553	88.4	88.4
		4.5	16.6	21.17	506	506	80.9	80.[illegible]

父が使っていた鋼材表を見て、ふと手が止まることが増えてきました。本の空いたスペースに書かれた構造計算するための手書きの落書きをじっと見つめています。CADもExcelもない時代に図面を描くことを生業にした父は、あの時代特有の製図用フォントを手書きしていました。縮尺を決めて、A1のレイアウトにこだわり、ペンの太さを徹底的に追求していました。父がトレーシングペーパーに描いた図面が、1枚も僕の手元に無いことが悔やまれます。もうすぐ1周忌です。合掌。

※WGBT＝熱さ指数（Wet Bulb Globe Temperature）。
※SET*＝Standard New Effective Temperature。平均予想温冷感申告（PMV）に新有効温度（ET*）を取り入れ提唱されたもの。

風憩の風景
131
Products

新鮮な色の組み合わせ

愛知県長久手市

転落防止柵「SWGT」に使用するセコロウッドの色は、ダークブラウンとブラックの2色。アルミ形材の色は、マットブラウンアルマイトとスモークグレーアルマイトの2色です。規格品で指定しているのは、セコロウッドがダークブラウンの場合はマットブラウンアルマイト、ブラックの場合はスモークグレーアルマイトです。この現場はその組み合わせを変えて、笠木と支柱をセコロウッドのダークブラウンに、パネルをスモークグレーアルマイトで納品しました。普段見慣れていない組み合わせが新鮮でした。柔らかな色合いのスモークグレー色は、風景の中に溶け込んで水平方向に流れるセコロウッドが強調されて見えました。この組み合わせはナイスチョイスですね。

風憩の風景

131

Impression

スマホで街角スナップ

東京都新宿区

2022.12.22

新宿に映画見に行った帰り、久しぶりにスナップショットしたくなって、南口から歌舞伎町までスマホでパチパチやってました。かつて、毎日スナップやっていた頃の感じが蘇りながらも、持っているカメラがスマホでファインダー覗いてないことが不思議でした。歌舞伎町から新大久保の韓国街へ。楽しくなって高田馬場まで2万歩超えで歩いて、気になっていた「大地のうどん」で「ごぼてんうどん」食べました。都電に乗って帰ることを思いついて、始発駅の早稲田まで。早稲田大学構内で村上春樹関連の展示見て合計3万歩。帰りの都電の中で写真をセレクトして、モノクロに加工して文字をレイアウト。撮影した気分のまま2次元に定着。便利な世界になりましたね。

風憩の風景
132
Products

配置も大事なデザイン要素

愛知県長久手市

ハコベンの基本タイプは「H 450 × D 450 × L 1500」。座板や側板の張り方や端部の勝ち負けで色々なパターンを用意しています。シンプルな形状ですからその配置の仕方によって、設置される空間を仕切ったり、解放したり、寄り添ったりの展開が可能です。L型配置やT型配置。動線を誘導したり、遮断したり、表裏をつくったり。単体で設置する場合と違って、設計者のアイデア次第で利用者へのサービスが何倍にも膨らみます。

風憩の風景
132
Impression

光景の瞬間を切り取る

三重県伊勢市

2023.01.05

撮影の合間をぬって、国指定重要文化財に指定されている「賓日館（ひんじつかん）」に行ってきました。ここは伊勢湾を見渡せる海岸沿いにあります。洗練されたデザインや選ばれた材料、職人の技法や伝統建築の粋な佇まい等、見るところは沢山ありました。すべてを見終わって帰りのエントランスに来た時、この光景が入ってきました。内側と庭、その先の海。壁や柵や堤で仕切られた空間に、置物の猫と七五三の女の子、堤の上には海を見るオッサン。その向こうに水平線。一直線に並んだ瞬間を上手く切り取ることが出来ました。本物猫だったら決定的瞬間だったのになあ。

風憩の風景
133
Products

現場に合わせた対応

岐阜県多治見市

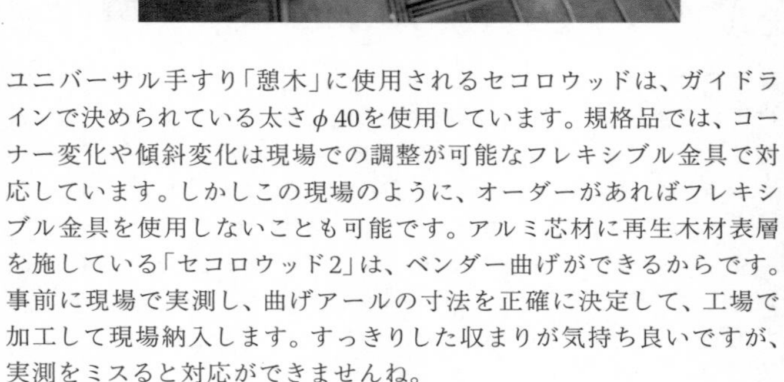

ユニバーサル手すり「憩木」に使用されるセコロウッドは、ガイドラインで決められている太さφ40を使用しています。規格品では、コーナー変化や傾斜変化は現場での調整が可能なフレキシブル金具で対応しています。しかしこの現場のように、オーダーがあればフレキシブル金具を使用しないことも可能です。アルミ芯材に再生木材表層を施している「セコロウッド2」は、ベンダー曲げができるからです。事前に現場で実測し、曲げアールの寸法を正確に決定して、工場で加工して現場納入します。すっきりした収まりが気持ち良いですが、実測をミスると対応ができませんね。

風憩の風景
133
Impression

2023.01.12

事務所のリノベーション

東京都千代田区

事務所をリノベーションしました。一部フリーアドレスにして、カフェスペースを設けてカジュアルな雰囲気を醸し出しています。今風ですね。友達から貰ったアンディ・ウォーホルのベートーベンと、ベルギーで買った構造建築家ローランネイのクノッケの歩道橋、2枚のポスターの組み合わせが自慢です。アートと構造。2次元と3次元。理系と文系。○○と○○のバランスをとるデザインが社風です。

風憩の風景
134
Products

座板ベンチの汎用性が広がる

愛知県長久手市

セコロウッドを使った座板ベンチ。座板と取付フレーム以外は用意していません。一般的には、コンクリート打ち放しの上に設置されるケースがほとんどです。今までガビオンの上や自然石のかたまりの上に設置してきたケースはありましたが、今回のような自然石の石張りの上への設置は初めてです。現場で発生したような石材を使用したゴツゴツした躯体にセコロウッドの持つ工業製品感が、このロングベンチをプロダクトとして完成させています。

風憩の風景
134
Impression

2023.01.19

良い加減

福井県高浜町

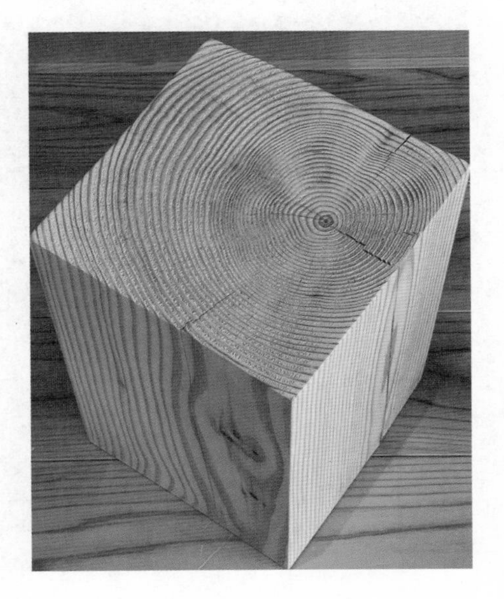

福井県と京都府近辺の京若狭産のスギです。目の細かい年輪が綺麗です。寒いところで育ったスギと暖かい地方のスギ。どちらも同じスギなのに、その性格はそれぞれです。僕が木材に惹かれるのはこの多様性です。塗装したり、加工したりしてその表情がまた色々変化していきます。柾目、板目、節の模様、何一つ同じものがありません。人と同じです。アルミ形材には無いいいかげん（良い加減）さに、はまってしまいました。

風憩の風景

135

Products

テーブルの天板を考える

愛知県長久手市

公園で使用されるテーブル系は、ベンチで使用する座板をそのまま天板に使用する、キャンプ場にあるような「野外卓」タイプが主流です。お弁当を食べたり、BBQをしたりする場合にはそれで問題がありませんが、書き物をしたりPCを使ってマウスを動かすには少し不便です。また設置後数年すると、経年変化で汚れや凹凸が発生します。この現場のテーブルは4mmのアルミ板を使用しています。表面が平滑でサビも発生しません。クリーンで清潔な状態をいつまでもキープできます。

風憩の風景

135

Impression

2023.01.26

宙師の仕事

埼玉県三芳町

居酒屋で初めて会った林業人から「そらしって知ってますか？」って言われた時、ピンときませんでした。どういう字書くのって聞いたら「宇宙のちゅうに仕事師のし」って言われて、カッコイイーって思わず口ずさんでいました。倒木する木に飛び移りチェーンソーで枝を落としていく仕事。クレーンのオペレーターとの、息のあった呼吸が大事なポイントです。その林業人に是非現場見に行きたいと言って作業風景を撮影させてもらいました。宙師（そらし）を含めた10人ほどのチームがひとつになって綺麗に切り倒していきました。僕らのつくるプロダクトはここから始まるってことを、リアルに感じた体験でした。

風憩の風景
136 Products

2023年、色の組み合わせ

愛知県安城市

セコロウッドダークブラウンとマットブラウンアルマイト。僕たち風憩セコロの製品のイメージカラーです。この20年、この組み合わせのプロダクトを数多く設置してきました。5年前にスモークグレーアルマイトとセコロウッドブラックという新しいカラーバリエーションを発売し、徐々に実績も増えてきました。そしてこの現場です。セコロウッドダークブラウンとスモークグレーアルマイトの組み合わせ。少し前にもこの組み合わせの現場を見ましたが、支柱に使用されている縦方向のスモークグレーアルマイトが重たくない印象を感じさせます。2023年、ルーバーのセコロウッドダークブラウンと相性が良いのはマットブラウンアルマイトじゃないですね。

風憩の風景

136

Impression

落ち葉のアート作品

東京都千代田区

2023.02.02

丸の内仲通りで見つけました。スピードを抑制するために道路の一部を隆起させ、振動を起こす目的で車道に設けられたハンプ。その表面に落ちた葉っぱが、アスファルトの隆起した骨材に張り付いてできたアート作品のようなボーダー。これは高圧洗浄機がないと取れませんね。振動だけではなくて、目で見てブレーキに足がかかることをアフォードしています。この時期だけの天然のアフォーダンス。

風憩の風景
137
Products

ウエルカムゲートの制作

東京都西東京市

URのリニューアル物件で、ウエルカムゲートを制作しました。スチールの構造支柱材をアルミプレートの柱巻き材で化粧して、ルーバー材はアルーバーで使用しているセコロウッドのハイブリッドタイプです。僕らの得意のイージーオーダー物件。独立電源ではないライトアップ照明器具を使用して、ゴージャスなエントランスを演出しています。住んでる人が家に帰るのが嬉しくなるリニューアルでした。

風憩の風景
137
Impression

2023.02.09

無題

石川県小松市

歌舞伎「勧進帳」の舞台、安宅の関跡に行きました。夕食に入った料理屋の喫煙室に床の間があり、掛け軸が掛かっている位置が絶妙でした。センターではなく左に寄せて架けてあって、右の方に大きく空間が空いています。漆喰で造作された、角にアールをとった「落とし掛け」。厚み50mm程度の断面にもアール加工が施されて、床の間の表面に柔らかなグラデーションを持った影を落としていました。何十年かぶりに一人だけの6畳の部屋で、ボーッと壁だけを見つめていました。

風憩の風景
138
Products

ユニバーサル手すり「憩木」

東京都世田谷区

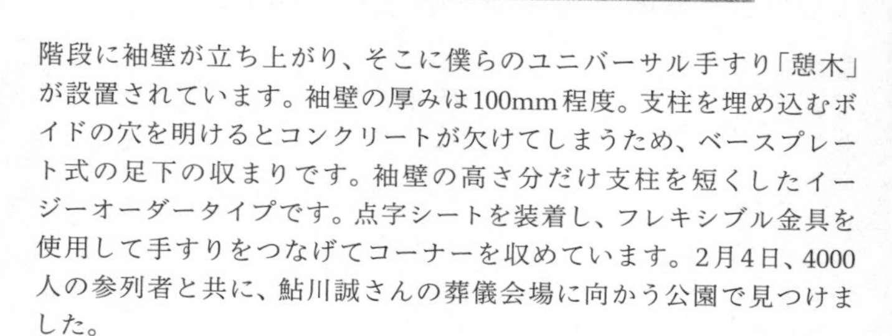

階段に袖壁が立ち上がり、そこに僕らのユニバーサル手すり「憩木」が設置されています。袖壁の厚みは100mm程度。支柱を埋め込むボイドの穴を明けるとコンクリートが欠けてしまうため、ベースプレート式の足下の収まりです。袖壁の高さ分だけ支柱を短くしたイージーオーダータイプです。点字シートを装着し、フレキシブル金具を使用して手すりをつなげてコーナーを収めています。2月4日、4000人の参列者と共に、鮎川誠さんの葬儀会場に向かう公園で見つけました。

風憩の風景
138
Impression

2023.02.16

シーナ&ロケッツ・鮎川誠さん

東京都新宿区

シーナ&ロケッツ・鮎川誠

中学生の頃、地元のローカルのテレビ番組でサンハウスの鮎川さんを見て、僕のアイドルになりました。東京のライブハウスでロック写真を撮ってた頃、毎月のように鮎川さんを撮っていました。1982年新宿ロフト「クール・ソロ」のライブ写真。僕が撮った鮎川さんのベストショットです。「ロックンロールは卒業せんでよか」。鮎川さんの言葉には、いつも励まされました。人柄がカッコイイ人でした。R.I.P

風憩の風景
139
Products

新品継続性能

東京都港区

僕らの主要なマテリアルはアルミ形材です。その素材にアルマイトで着色したり、再生木材の表層を巻き付けたりしながら表情に変化をつけています。それらのラインナップの中で抜群の新品継続性能を発揮するのが、不燃のオレフィンシートを使ったセコロラップです。この写真は施工後7年目。セコロウッドもアルミ形材もそれなりに経年変化を感じますが、セコロラップだけはいつまでも若々しいままです。「Forever Young」。Bob Dylanの素晴らしい曲を思い出しました。

風憩の風景
139
Impression

色のない世界

宮城県仙台市

2023.02.23

仙台から仙山線に乗って山形まで孫と二人旅。車窓から見える雪山を撮影したら、まるでモノクロ写真。カラーで撮ってもモノクロの世界。雪が空気と山の表層を覆い隠して水墨画の世界が広がっていました。

風憩の風景
140
Products

スクーザ＝救う座

東京都千代田区

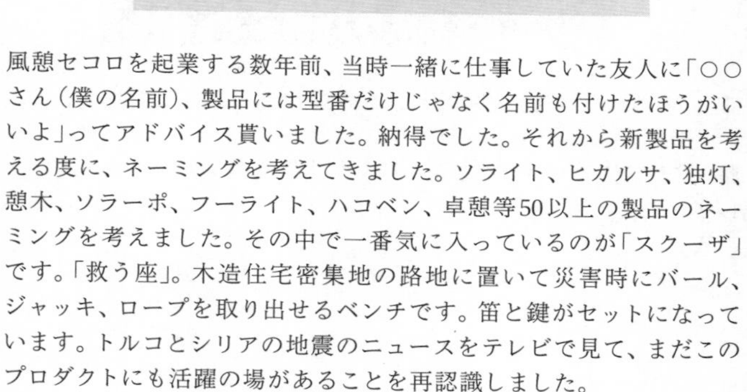

風憩セコロを起業する数年前、当時一緒に仕事していた友人に「○○さん（僕の名前）、製品には型番だけじゃなく名前も付けたほうがいいよ」ってアドバイス貰いました。納得でした。それから新製品を考える度に、ネーミングを考えてきました。ソライト、ヒカルサ、独灯、憩木、ソラーポ、フーライト、ハコベン、卓憩等50以上の製品のネーミングを考えました。その中で一番気に入っているのが「スクーザ」です。「救う座」。木造住宅密集地の路地に置いて災害時にバール、ジャッキ、ロープを取り出せるベンチです。笛と鍵がセットになっています。トルコとシリアの地震のニュースをテレビで見て、まだこのプロダクトにも活躍の場があることを再認識しました。

風憩の風景
140
Impression

2023.03.02

仏の涙

長野県長野市

出張の帰りに仲間二人と信濃善光寺に行ってきました。山門に向かう途中にある「濡れ仏」。真鍮が腐食して緑青ふいて泣いてます。唇と瞼は昔のまま。これを想定して建立したのかなあ？ 目の中の涙が落ちる場所と、少し微笑んでいるかのように見える仏様の表情に吸い込まれます。耳たぶの曲線が素敵です。最近観た「スケッチオブミャーク」って映画のおばあの耳も、綺麗な２つのアールでした。ハコベンソラマメのアールと似ています。

風憩の風景
141
Products

忘れてはいけない

岩手県山田町

12年前の5月の連休中に、仲間と調査に行きました。圧倒的な破壊力に唖然としながら、独立電源のソライトがスッと立っていたことを今思い出します。暗くなるとポッと灯りがともりました。真っ暗な世界の中に、ソライトの灯りだけがポツポツと光ってました。忘れられない光でした。忘れてはいけない風景でした。

風憩の風景
141
Impression

2023.03.09

川沿いの撮影スタジオ

埼玉県行田市

今週の月曜日に工場に行った時、工場脇に流れている川沿いを歩きました。ポカポカ陽気の中でヒバリの鳴き声聴きながら、土手に寝転びました。ヨガのポーズ（ダウンドッグ）をしながら、思いっきり空気吸い込んでゆっくり吐き出してを繰り返します。景色を上下反転して見ていてアイデア浮かびました。この場所は新製品の製品写真を撮影する常設のスタジオになるはず。つくったらすぐ工場から移動して撮影できます。楽しみだなあ。決めた！ハコプラベンはここで撮影しよう。

風憩の風景
142
Products

シルエットをデザインする

長崎県大村市

昨年発売した木漏れ日アルーバーのイージーオーダー製品が設置されました。長崎新幹線の新大村駅前広場です。地面を海の中に見立ててサカナ達が沢山泳いでいます。レーザー加工し易いようにデフォルメしたシルエットをデザインすることが、一番の難題です。それぞれのサカナたちの特長を数本の線で表現していきます。サカナの名前を当てて楽しんでいる親子の顔が目に浮かびます。

風憩の風景
142
Impression

2023.03.16

カタログの表紙制作

茨城県日立市

東日本大震災の年、2011年の1月に撮影した「波の背中」という題名をつけた写真ファイルを見つけました。パラパラ見直していて、ふと「来年に改訂するコミュニティファニチャー＃5のカタログの表紙に使おう」と感じました。使用するフォントはサンセリフのフォントで、横位置の写真を縦に使い、風マークだけ。早速イラレ立ち上げ作業開始。フォントは視認性が高く、縦読みでも読み取りやすい、ドイツの道路標識に使用されているDINを使用。風マークの位置決定するのに一番時間がかかりました。さあて、このアイデアのまま決定するかな？

風憩の風景
143
Products

僕らの現場力

東京都北区

一昨日の祝日、孫と二人で飛鳥山公園に花見に行きました。コンビニで弁当買って、都電に乗ってブラリ旅です。桜は7分咲きでしたが、沢山の人たちが花見を楽しんでました。この公園は、いつの間にかP-PFI事業で運営されているらしく、「渋沢ハット」と呼ばれてました。5～6年前まではレトロ感のある静かな公園だったので、その変貌ぶりに驚きました。カフェには行列ができています。この写真は公園のリニューアルにともなって設置された僕らの転落防止柵「ビスタ」です。張り出しデッキの端末支柱との隙間を塞ぐために、袖パネルを装着。小さな子供の転落を防いでいます。現場に設置した後に判明するこうした緊急なオーダーにもスピード感を持って対応することが、僕らの現場力です。この姿勢はいつまでも変わりません。

風憩の風景
143
Impression

歩幅が判明

東京都中央区

2023.03.23

ジャック・ニコルソン主演の「恋愛小説家」っていう映画の中で、主人公が舗道を歩く時、目地を踏まないで歩くシーンがありました。僕も舗道を歩く時、似たようなゲームをするのでフフッと笑ってしまいました。先日、銀座通りで目地踏まないゲームをやってる時、「アレッいつもより上手くいってる？」と感じました。ほぼ目地を踏まずに歩けるのです。気になって計ってみると舗装の石のサイズは300×450でした。300×600（サブロク）や300×500の石材もあるけど、それだと目地踏むんですよねー。2列の石材を左右に足を出しながら歩きます。ということは、僕の歩幅は約700ってことですね。少し大股にしてサブロクの石材でこれをやる（歩幅900）と、スピードに乗って歩けるけどすぐ汗かきます。健康舗装材「ジャック」というネーミングでどっかの舗装メーカーが規格化しないかなー。長手350が健康サイズ。目地踏んだらApple Watchに注意される。

風憩の風景
144
Products

下水道手すり「GT」

東京都千代田区

下水道の「G」と手すりの「T」で「GT」。会社設立当初から販売をしているロングセラー製品です。そのGTの支柱に使用されているのが60角のアルミ形材のパイプ。特徴は角のR。通常の角パイプより大きく4アールあります。比率にして約6.7%。この大きなアールにより、人が触った時にエッジがまったく感じられません。ハコベンや独灯の内部にも使用されています。最近、何度目かの60角マイブームが来ています。相欠きしたり、4アールに合わせて切り欠いたり、新しい仕口の収まりを考えつく度に、工場のNC担当S君に加工してもらってます。夏までには新しいプロダクトが完成しそうです。

風憩の風景
144
Impression

2023.03.30

晩酌セット

東京都荒川区

長い時間をかけてゆっくりつくっていた陶芸の作品が完成しました。晩酌の時に使う酒升と、アテを入れる角皿のセットです。サイズは60×60×110。60角です。角のエッジはできるだけピン角にして、酒升の角が唇に当たった時のキリッとした感触を大事にしました。この感覚で呑むと悪酔いしません。酒升には丁度一合入るように設計しました。ロクロではなくタタラでつくったんで何度もつくり直しました。トルコ青釉の薄いブルーも綺麗です。毎晩呑む「明るい農村」の水割りが美味い。今宵のアテは京都土産の「山椒じゃこ」と、佐賀土産の「佐賀牛のしぐれ煮」。

風憩の風景
145
Products

藤棚「アルーバー」

東京都港区

パーゴラはイタリアでぶどう棚のこと。日本では藤棚ですね。僕らがつくるアルミとセコロウッドを使用したアルーバーは、藤を絡ませて設置しない、影をつくる機能としての現場が多いのですが、この現場はバッチリ藤棚です。支柱@3000のアルーバーを連続して使用し、大きな自然の天井を屋外でつくってます。藤の花が垂れ下がってくる頃は上品な香りに包まれるんやろーなー。ジャスミンに似た香りをアテにして、イタリア産じゃなく日本の安物のワイン飲みたいです。

風憩の風景
145
Impression

今年の桜写真
福岡県糸田町

2023.04.06

毎年この時期は桜の写真を撮って、「今年の桜写真」を選んでます。カメラやレンズに凝ったり、撮影場所や天気を選んだりして自分なりにランキングつけてます。先日、出張先で観光案内にも載っていない桜の名所があると聞いて、地元の友達に連れていってもらいました。開花宣言した翌日の晴れた昼下りなのに人は誰も居ません。太陽が雲に隠れた一瞬、柔らかい光の中をスマホでカシャ。空のブルー、里山のグリーン、ジャリ道のグレーにピンクが映えます。今年の桜写真はコレに決まり！複数の桜の木のグラデーションが見える。桜のアップじゃなく引きで撮れる。そして、地べたに人がまったくいない。こんなシチュエーションの現場は、地方の穴場にしか無いですね。

風憩の風景
146
Products

思いがけず自社製と遭遇

東京都台東区

毎日、上野の山と不忍池の中を通って通勤しています。先月、柳亭市馬の独演会聴きに行ったら、時節柄「花見の敵討」っていう演目やってました。花見の舞台は飛鳥山でした。市馬師匠の江戸の風に爆笑して、翌日気になって江戸時代の江戸の花見について調べてたら、上野の山から不忍池、遠景に富士山の絵が見つかりました。その風景を生で見たくて、通勤途中クルマを路駐して、ひとつも踊り場のない真っ直ぐな階段登っていくと、僕らの製作したユニバーサル手すり「ステンレス憩木」が設置されていました。富士山は見えなかったけど、ステンレス憩木が役にたっているのが見れて嬉しかったです。

風憩の風景
146
Impression

ワクチン接種とアウトドア家具

東京都千代田区

2023.04.13

仲間が帯状疱疹に罹って、長期間大変苦しそうなので予防のためワクチン打ちに行きました。病院で待たされている間、ふと窓の外を見るとオフィスビルの5階から上がホテルになってました。ホテルのフロントの6階フロアーには屋外スペースがあり、そこに海外製（たぶん）のアウトドア家具が置かれていました。転落防止柵はガラスです。支柱@1000。座面が深くバックシートが高いフォルムや上質なファブリックのクッションが、ラグジュアリーな雰囲気を醸し出していました。どんな人が座るんだろうと観察してましたが、名前呼ばれてメチャ痛い注射打たれました。

風憩の風景
147
Products

雨の日の利用は想定しないオーニングアルーバー

静岡県静岡市

富士山が望める海沿いの広場に、僕らの製作したオーニングアルーバーが設置されたので行ってきました。デイキャンプや企業のイベント会場としても利用できる空間です。天然木材のウッドデッキの上のBBQスペースに設置されたアルーバーは、強風時は折りたたんで風の吹上を受けません。シェードとしての機能は十分に果たしていました。でも雨が降っても完全に屋根としての機能は果たせません。オーニングのつなぎ目には隙間があるのでそこから雨が漏れます。このプロダクトにはあくまでもシェードとしての役割のみが与えられています。濡れない機能はサービスです。

風憩の風景
147
Impression

2023.04.20

シティポップとは何か

東京都港区

そして渋滞にはまりました。東名の伊勢原からずっとノロノロ。首都高3号線の渋谷まで。クルマからはシティポップが流れています。最近、寝る前に昨年発行された「シティポップとは何か」っていう本を読んでて改めてシティポップを聴き直しています。1970年代中頃から80年代前半まで、当時一部のマニアに受けていた（僕もその仲間）音楽のことを指すと思っていたら、2023年での解釈は違ってました。風景論から始まってサブカル論、和音やリズムパターン等の技術論まで網羅されていて面白かったです。渋滞の中、あの頃憧れていたTokyo Cityの風景が現れました。クルマからシュガーベイブの「ダウンタウン」が流れてきました。イントロはAとDのメジャーセブンスです。

風憩の風景
148
Products

タッピングビス

東京都千代田区

アルミ押出形材の断面形状は自由に設計できます。僕らの制作する転落防止柵に使用する縦格子の断面には、ピンホールと呼ばれるタッピングビスを取り付ける穴形状がついています。下穴を明けずに電動ドリルに十字のビットを付けてビスを回しながら格子の断面にタップを切っていきます。スチール材やステンレス材の場合は溶接するのが一般的ですが、アルミ形材の場合はほぼすべてこのやり方で格子を組んでパネルを制作します。ビスの強度を設計基準値にするため、ボルトにはないサイズ［φ4.5］の直径のビスを使用しています。格子1本につき4発。この製品SWGT-LATには58発のタッピングビスが使用されています。

風憩の風景
148
Impression

2023.04.27

工事中のご褒美

東京都中央区

銀座通りを歩いていたら綺麗なイルミネーションを見つけました。洒落た商業施設のビルの外壁かと思ってよく見たら非常時用の外階段です。金沢の茶屋町で見た千本格子を彷彿させる美しさです。筋交いや手すりのシルエットがボンヤリ浮かんできて幻想的でした。隣のビルが工事中のため、この景色が見えるのは今だけかなあ。階段の途中にフランケンシュタインやドラキュラのシルエットが見えれば、SNSでバズるかもね。なんて思いつきました。

風憩の風景
149
Products

隅田川防潮堤整備

東京都中央区

江戸時代、何度も洪水に見舞われた隅田川。昭和34年から伊勢湾台風級の高潮（A.P.+5.1m）に備えるために防潮堤整備が始まり、昭和55年からは水辺に近づける親水性に配慮した事業に着手しました。僕らは防潮堤をまたいで水際を散策するための階段を製作しています。搬入や施工が人力で行え、サビも発生しにくいので材質はアルミ形材です。構造計算で支柱ピッチや筋交いの数量を決めていきます。最近は夜間の安全性を担保するためにデッキ部に照明を配置することが増えてきました。

風憩の風景
149
Impression

2023.05.11

スパングル

沖縄県宮古市

白サビが綺麗なスパングルをつくっています。鉄にドブ付けしたフラットバー柵のテクスチュアーです。設置されて4年目らしい。最近はリン酸処理のスパングルを見せる仕上げを見かけることが多いけど、数年後には白サビ吹いてます。分かっててやってる場合は良いと思うけど…。クリアー塗装を施して白サビ対応している現場を見ると、「分かってるやん」って嬉しくなります。この沖縄の環境でしか発生しない「琉球スパングル」、この後赤サビが出るまでの数年間だけの貴重なスパングルですね。これはクリアー塗装なしで赤サビまで見届けたいと思ってます。

※スパングル＝溶融亜鉛めっきなどを施した時に表面が冷却され鋼板に出る幾何学花模様。

風憩の風景

150

Products

福島県双葉町

仲間たちと育む なりわい集落

JR常磐線双葉駅の西口に隣接した場所に災害公営住宅ができました。その住宅の境界フェンスにセコロウッドを使ったフェンスを制作しました。高さをH800に抑えて開放感のある空間ができ上がりました。「仲間たちと育む なりわい集落」のコンセプトに相応しく、そこに住まう人たち一人ひとりの顔が見える設計になっています。都心ではフェンスで囲って目隠しにする住宅が多い中、パブリックに開かれたこのような住宅に住んでみたい気持ちになりました。

風憩の風景
150
Impression

I Love Red

京都府京都市

2023.05.18

昔から赤は好きな色でしたが、2023年は町を歩いていてすぐ赤に反応します。特に黒と赤の組み合わせが今年の気分です。黒壁に赤の鳥居と赤の非常ランプ(金のレリーフも素敵です)。ベージュの骨材を使った洗い出しの腰壁に茶色の雨樋。京都の祇園付近の路地裏で、観光客が歩かない時間を見つけて撮影しました。

風憩の風景
151
Products

それぞれの過ごし方ができる公園

福島県いわき市

広葉樹の木の下にサークルベンチとウッドデッキを制作しました。公園の入り口には車止め、イージーオーダーの背付きベンチも一緒に設置です。「大工町パークプラス」というイベントが定期的に行われ、地域の人たちが集まってくる公園です。イベントが行われていない平日の夕方に撮影しました。学生さんのカップル、砂場で遊ぶ親子、ひとりでスマホをいじる男性。それぞれの人たちの距離感がいいなーと思いました。夜も明るくて安全です。

風憩の風景
151
Impression

2023.05.25

夏の定番はTシャツ

東京都荒川区

ＧＷに衣替えするのは毎年の習慣です。休みの日は夏はＴシャツしか着ません。グラフィックデザインも様々ですが、首がつまったタイプやルーズなやつ、生地の厚さや材質等その日の気分で選びます。ライブに行くとツアーＴは購入します。お土産もＴシャツが基本です。ボロボロになっても捨てられません。気に入ったヤツはそればかり着ています。63枚になりました。今年は何枚着れるかなあー。

風憩の風景
152
Products

使われてなんぼ

北海道札幌市

孫と二人旅した札幌で、10年前に納品したホワイトアッシュ(タモ材)のベンチを見てきました。防蟻、防腐の為の加圧注入処理はせず木材保護塗料のみを塗布して出荷しました。座板部だけ綺麗に塗装が剥がれていましたが、座る機能にはまったく影響無かったです。屋根付きシェルターの下に設置しているので、紫外線の照射は屋外より少ないとはいえ、注入処理無しでここまでもつとは思いませんでした。乗客に使われていることで耐久年数が増したという感じがします。家具は使ってなんぼ、使われてなんぼですね。

風憩の風景
152
Impression

2023.06.01

心が豊かになる風景

新潟県南魚沼市

東京からローカル線に乗って、山梨～長野～新潟～群馬を旅しました。車窓から見える田んぼに水が入っています。遠くには雪が残った山の稜線が見えます。この風景は日本らしいなあといつも思います。20年くらい前に岐阜にひとり旅した時に、そのことに気がつきました。町っ子だから毎日この風景の中で暮らしていくのは無理ですが、心が豊かになるこの風景は、一生大事にしたいです。

風憩の風景
153
Products

ワンストップで要望に応えます

群馬県前橋市

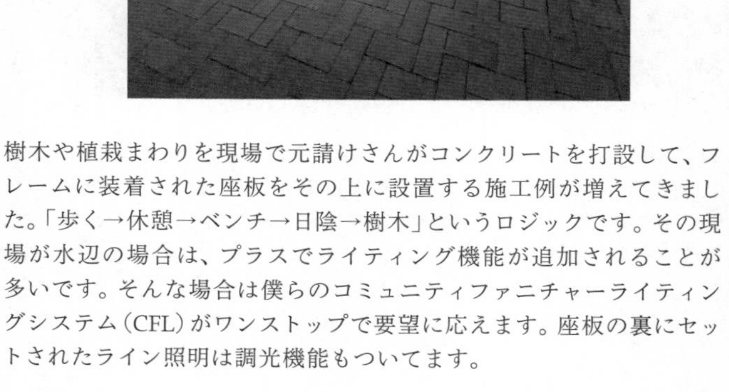

樹木や植栽まわりを現場で元請けさんがコンクリートを打設して、フレームに装着された座板をその上に設置する施工例が増えてきました。「歩く→休憩→ベンチ→日陰→樹木」というロジックです。その現場が水辺の場合は、プラスでライティング機能が追加されることが多いです。そんな場合は僕らのコミュニティファニチャーライティングシステム（CFL）がワンストップで要望に応えます。座板の裏にセットされたライン照明は調光機能もついてます。

風憩の風景
153
Impression

2023.06.08

休日の過ごし方

東京都荒川区

休日はジムに行って、ヨガやって、そのまま銭湯に直行です。知り合いになった番台のおばちゃんに頼んで、銭湯の休日の日に撮影させてもらいました。富士山の銭湯壁画が見事です。いつもとは違う昼間の光線の中の風景にうっとりして撮影しました。ブルーとライトグリーンと白が気持ち良いですねー。休日は、風呂道具とジム道具持って、チャリンコでモツ焼きとチューハイやりに行きますが、この日は仕事に戻りました。今週もあと二日。会議やら打ち合わせやら頑張りますけん、待っちょってね富士山。

風憩の風景
154
Products

シツラエブランドの魅力

東京都千代田区

熱押形鋼「40 H」。シツラエブランド立ち上げの象徴的なマテリアルとして10年前に開発し製造しました。ある程度のまとまったロットで購入し工場で在庫しています。大量に出ることはありませんが、このフォルムが好きなデザイナーが使ってくれます。今回も皇居の外堀に架かる常盤橋の橋詰め公園に、40 Hを脚に使ったベンチを2基納品しました。座板には芯去り材の国産針葉樹にK４処理を施し、半造膜の木材保護塗料を塗布しています。歴史的な建造物がある場所に似合った設えで、ひっそりと佇んでいます。

風憩の風景
154
Impression

2023.06.15

パリ13区の夜明け前とパン屋のいい匂い

パリ市13区

水曜日の夜明け前、若い頃夢中で見たブラッサイの「夜のパリ」みたいな写真が撮りたくて、パリ13区をブラブラしました。モノクロ専用のカメラを首からぶら下げて、レインコートに隠して歩きます。ココロが動いたらボタン外してパシャッと撮って隠します。早起きのパン屋の前を通るといい匂いがしました。でも写真には写りません。アスファルト舗装と水溜まりが気になった、今回の旅でした。

風憩の風景
155
Products

国土交通省のガイドラインをクリアするU端末

山梨県甲府市

僕らの製作するユニバーサル手すり「憩木」は国土交通省が定めた基準「都市公園の移動円滑化整備ガイドライン」に準じて設計されています。－手すりの外径は4センチ（φ40）程度とし、手すりの端部は、袖や手荷物が引っかかる可能性があるため、階段の外側に向かって巻き込むなど端部が突出しない構造とする－このガイドラインをクリアする為に、2段手すりをエルボで繋いで巻き込み構造にしています。この端末の収まりを僕らはU端末と呼んでいます。

風憩の風景
155
Impression

ベンチ飲みもまた楽し

東京都港区

2023.06.22

昔好きだった歌手が70歳になったので、ライブバーに見に行きました。開演前のウォーミングアップのため、コンビニでワインと6Pチーズ買って商業施設に隣接された公園のベンチで一人飲み。テーブルとチェアがセットになった場所（無料）もあったけど、あえて1.8mの長さのベンチで飲みたい気分でした。座面と同じ位置にグラスがある（プラスティックだけど）と、花見やピクニックの心持ちで屋外の雰囲気を味わえます。室内で使う家具の機能をそのままアウトドアに持ち出してもつまんないなーと思った日曜日でした。

風憩の風景
156
Products

職人技が光るスカルプチャーシリーズ

東京都墨田区

昨年秋、北陸担当の営業スタッフが「面白い工場あるから見に行きましょう」と誘ってくれて、石川県にある人研ぎの工場を見に行きました。D10の鉄筋曲げて→コンクリートで固めて（型は使用しない）→表面に様々な種石を混ぜた仕上げモルタルを貼り付け→ひたすらサンダーで磨いていきます。ある程度のカタチは図面で指示しますが、3次曲面の仕上がりは磨く職人の感覚です。「スカルプチャーシリーズ」とネーミングして5タイプのスツールプロダクトを規格化しました。クオリティーを安定させるため、設置現場で製品にするのではなく、工場で製品にして運びます。

風憩の風景
156
Impression

2023.06.29

チャットGPTの上をいく社員旅行

群馬県藤岡市

先週末、4年ぶりに社員旅行に行って来ました。1泊2日の温泉旅です。「今年社員旅行を計画してます。おすすめのプランを教えてください」ってチャットGPTに質問したら、絶対回答してくれないプランでした。男だけ31人。CP館でC子館長のトークライブ堪能。ダム見学して宿に到着。湯に入った後、浴衣着て昭和の宴会。2次会は浴衣と草履で温泉街のスナックでカラオケ大会。〆のラーメン＆ビール。仲間っていいなーってしんみり思った旅でした。でもこんなプランは今年が最後かな。来年からはチャットGPTにお任せします。

風憩の風景
157
Products

日本らしい舗装「LAP舗装」

愛知県長久手市

愛知県担当の営業スタッフから「最近評判の舗装の現場あるから見にいきましょう」と誘われて見に行ったのが昨年12月。僕らのアルミ手すり「憩木」の現場に綺麗にマッチしている舗装のテクスチャーに惚れ込んで、アスファルトを洗って地元の骨材で歩道整備する工法「LAP舗装」の営業を始めました。超高圧の洗浄水をアスファルトに噴射して、アスファルトの黒い色を洗い流し骨材の表情を露出する工程です。インターロッキングやレンガのような目地が無いので、とても歩きやすいです。車椅子やベビーカー使用時の振動が発生しません。日本を感じます。

風憩の風景
157
Impression

「老い」もまた良し

群馬県草津町

2023.07.06

社員旅行で行った温泉で、観光客が入浴することのできる３つの共同浴場に入ってきました。１円玉が１週間で溶けてなくなる強酸性の泉質の温泉です。気づいたことがありました。泊まった旅館のお風呂の床はタイル張りでそれなりに凹凸がありましたが、ツルツル滑って歩くのに注意が必要でした。滑って転んでる青年もいました。この共同浴場の床は木材でした。夏目が削られ硬い冬目が立ちあがり、浮造りの表面になっていて全然滑る感じがしなかったです。毎日掃除している地元の人のおかげですが、木材が持つ「朽ちる」という機能を感じながら、湯船に浸かって床を見つめていました。人間の「老い」も人が持っているひとつの機能かな。若い人たちが滑って転ばないように上手に老いたいですね。

風憩の風景
158
Products

日本の森のランドスケーププロダクトシリーズ

東京都墨田区

埼玉県の針葉樹を使ったベンチ、From 埼玉の「フキュウベンチ」から始まった僕らの2023年スタートのプロジェクト、JFLP「日本の森のランドスケーププロダクト」シリーズ第2弾はFrom東北です。塊感のある国産針葉樹を組み合わせ、屋外で使用することを想定してスチール材の溶融亜鉛メッキ処理材を脚に使用しています。ソファのクッションカバーには雨水が浸透していくメッシュのファブリックを使用。屋外に置きっぱなしでも耐えうるスペックで開発しました。2シーターからスタートです。

風憩の風景
158
Impression

2023.07.13

アイロンかけ

東京都荒川区

村上春樹の「アイロンのある風景」っていう短編読んで、アイロンとアイロン台に憧れていました。最近、断捨離して、終活して、ついでに節酒もして、部屋にスペースができたので、思い切ってポチって買ってしまいました。立って作業できるアイロン台とアイロン。早起きして、朝自分でアイロンかけたシャツで出勤してます。アイロンかけやると、布の種類や縫製の仕方、アイロンかける順番やアイロン台の使い方など、発見がいっぱいあって、とーっても楽しいです。飽きないで続けたいと今は思ってますが、節酒には飽きてきています。町田康の「しらふで生きる」読も。

風憩の風景

159 Products

卵形フォルムのビーム

東京都葛飾区

支柱の背面に縦格子パネルやビームを装着した転落防止柵が設置されました。メリットは、階段やスロープ等の勾配に対応できるブラケットが簡単に使用できること。支柱のセンターに装着する場合は、複雑な加工が必要となりますが、ボルト1本で装着しているためフリーに角度変化に対応できます。トップレールの断面は卵形のフォルムです。前後反対にして大きいアールの面を前面に使用可能。アシンメトリーのフォルムはバリエーションが増えて使い方の幅が広がりますね。

風憩の風景
159
Impression

ベンチの高さ

東京都千代田区

2023.07.20

黒いジーンズの人は、かかとを上げてつま先立ちで携帯いじってます。ピンクの人は厚底のヒールのパンプスを全面地面につけて弁当食べてます。最近ベンチの高さや角度、座面の大きさが気になって、昼飯食べた後、丸の内をブラブラして観察してます。「携帯をいじる」「弁当を食べる」等の動作によっても、心地よい高さがあるんだなーと気づいた雨上がりの午後でした。

風憩の風景
160
Products

ファンクションデッキ6

東京都墨田区

セコロウッドの階段やスロープの現場に納品後調査に行くと、僕らの設置したウッドデッキの現場をジョギングしている人の多さにビックリしたのが開発のとっかかりでした。ランナーの着地時に発生する「ドンドン」という音が気になりました。歩く分には心地よい音も、騒音になると近隣住民からの苦情も想定されます。そこでデッキ表面を薄く削って、そこにゴムチップを装着したデッキ材を開発しました。クッション性能以外にも段鼻表示、サイン表示、滑り止め、点字、蓄光、の機能を持つ6タイプのウッドデッキ「ファンクションデッキ6（シックス）」です。

※湘北高校＝漫画「スラムダンク」の主人公・桜木花道が在籍するバスケットボール部がある高校。チームのスモールフォワードは流川楓。

風憩の風景
160
Impression

2023.07.27

岡山後楽園でアイデアがわく

岡山県岡山市

岡山には何回も行ってるけど、出張アルアルで後楽園に行ったのは初めてです。建物の中を川が流れている構造物がありました。調べてみると、流店と書いて「るてん」と呼ぶ建物らしいです。木造2階建てですが、2階には上がれません。壁が無く、柱が景色を切り取ります。足湯施設で似たような建物ありますが、冷たい水は新鮮でした。屋根で日差しを遮り、足と流れる音と風で涼を感じます。ヒグラシが鳴くと最高ですね。熱帯化している近頃のこの国には、必要なランドスケーププロダクトだと感じました。早速製品化考えよう。製品名は流川座。「るかわすわる」と読ませます。湘北高校のスモールフォワードの弟みたいで良い名前でしょ？

風憩の風景

161

Products

ロウソク色の照明

京都市右京区

観光客が戻ってきた京都嵐山の渡月橋の橋詰付近に、フルオーダーの独立電源照明を制作しました。色温度を2500ケルビンまで抑えて、ロウソク色のしっとりした灯りを提供しています。現場打ちコンクリートにスリットが入ったアルミキャスト製の装置を装着して完成です。日が沈んで稜線のシルエットが浮かび上がってくる時間までじっくり待って、尚且つ照明の色が見た目に近い色になる一瞬を撮影しました。

風憩の風景
161
Impression

2023.08.03

カメラポジション

東京都千代田区

エスカレーターの裏側のパネルが、アルミのシルバーアルマイトと思われるマテリアルで、オッカッコイイと思ってスマホいじってると、うまい具合にシルエットになる人たちが現れてくれました。ガラスの向こうは東京駅の大屋根テント、その向こうは丸の内のビル群、好きな被写体です。でもフレームの半分は床。スマホを目線で構えて縦のラインを垂直に保とうとすると床が画面を支配するのです。小津安二郎作品のカメラポジションみたい。室内写真の床壁天井の専有面積でいうと5:3:2というところかな。屋外の場合は空と大地の比率は5:5を意識して撮ってます。

風憩の風景
162
Products

日陰だけでは涼がとれない時代に対応

東京都墨田区

日陰パーゴラアルーバーを開発したのが17年位前、その頃の日本の夏は今年のような殺人的な暑さではなかった気がします。日陰の下に縁台を置いてそこに座れば涼がとれると思っていました。のどかな時代でしたね。あの頃が懐かしい。そこで、今年アルーバーの下で温度を低下させるために、微細で均一な霧を発生させるミストをオプションで用意しました。制御ユニット、ポンプユニット、噴霧ユニットの3つのシステムで構成されています。熱帯化した日本には必要な装置ですね。

風憩の風景
162
Impression

2023.08.10

プロダクトと空間と演出と

東京都文京区

ミスト関係で付き合いのある仕事仲間が展開している雲海を体験してきました。昼の雲海は一度体験したので今回は暑い夏の夜です。霧とライティングのライブ感を夜景をバックに味わいました。モノづくりのプロとしてのノズルの開発に向き合うこの会社と、エンタメとしてのライティングが融合した贅沢な時間でした。人を感動させるにはプロダクトだけのチカラではなく、空間と演出の3つのバランスが大事だなあと改めて思いました。

風憩の風景
163
Products

端材の有効活用を考える

埼玉県行田市

本社工場に行った時、端材入れを見て回るのは決まったルーティンです。珍しい端材が入ってた場合は端部を面取りして持って帰って眺めています。先日工場で端材入れ覗くと、200mm程度の長さのセコロウッド2のϕ80が入ってました。SP種高欄SWSPの笠木に使用する材料です。基本は2mピッチですので、定尺4mか6mで在庫してます。支柱ピッチが2m以下の場合こんな風に端材が出るのです。このような端材の材料を有効活用することを25年間考えてきましたが、ナイスなアイデアがまだ出てきません。永遠のテーマです。

風憩の風景
163
Impression

2023.08.17

跳ね上げ式の老眼鏡

鳥取県鳥取市

老眼鏡を購入したのは15年位前。色々試して今の眼鏡に落ち着きました。跳ね上げの丸眼鏡です。遠くを見るときはレンズを跳ね上げて裸眼。手元を見るときはレンズを下ろして老眼鏡。写真を撮るときはファインダー覗くので目から外す。決定的瞬間な被写体に出会うと興奮して眼鏡外すので、どこに眼鏡を置いたか分からなくなります。暑い夏はゆっくり椅子に座って、眼鏡外して、汗を拭いて、一息ついて、ファインダー覗いて、静かに撮りたいですね。

風憩の風景
164
Products

社会実験中のストリートシェード

愛知県名古屋市

開発のきっかけは、東京のオフィス前の信号待ちでした。毎夏、ランチ時になると赤信号で待っている歩行者が、僕らの入っているオフィスビルにできる日陰の中でスマホいじってます。夏の間だけ道路に置いて秋には撤去でき、信号待ちの3分間だけ日陰の中で待機できる装置があったらいいなーと思って開発しました。ウエイトは、プランターとハンドリフトで移動できるコンクリートウエイトの2種類です。商品名は「ストリートシェード」。名古屋で社会実験で置かせてもらいました。アンケート結果が待ち遠しいです。

風憩の風景
164
Impression

2023.08.24

CADでは引けない曲線

東京都文京区

最近、天井や屋根に関係したデザイン依頼が多いです。オーニングを使ったものやアルミ材やポリカーボネート材を使ったもの等、マテリアルは様々ですが、床や壁ではなくシェルター系が増えてきた印象です。今までに撮影した参考写真(ネタ帳)をパラパラ見ていたら出てきました。昨年秋に六義園で見たつつじ茶屋です。CADで直線ばかり引いている身にはこのバナキュラーな曲線は新鮮でした。この場所でとれるつつじの材料でつくった柱と梁。正真正銘の土着建築ですね。

風憩の風景
165
Products

境界のデザイン

愛知県春日井市

子供たちが円形の噴水で水浴びしてます。噴水エリアと歩道エリアの境界のための柵の高さを450mmにして、子供たちを見守る親子さん達が座れるようにしました。金属製のパイプでは暑いので、セコロウッドを使用しています。ハイブリッドタイプの再生木材を使ってアール曲げのビームを制作し、境界のラインと合わせました。

風憩の風景

165

Impression

2023.08.31

暑い夏を惜しむ

東京都千代田区

「お先です」と言って事務所のエレベーター乗って外に出たとたんに、熱風が鋭く刺さってきます。駐車場まで歩く道々、左を見ると夏の終わりの空が焼けてます。いくつになっても夏が終わるこの季節はセンチメンタルな気分になります。夏休みが終わって2学期が始まるあの感じ。いやになるくらい暑い夏なのに、まだ終わってほしくない気持ちが20％ぐらいありますね。

風憩の風景
166
Products

足置きバーで背伸びして見る風景

岐阜県岐阜市

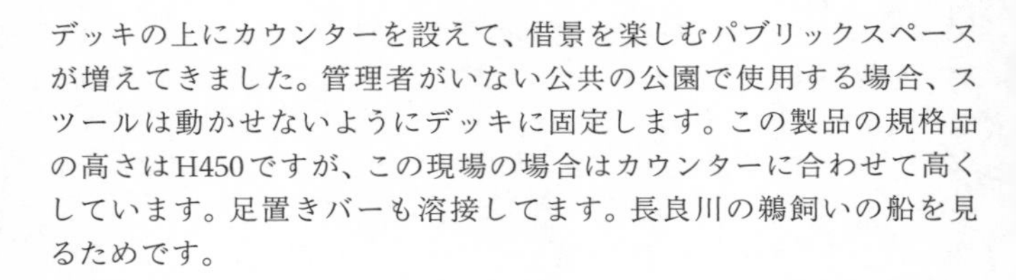

デッキの上にカウンターを設えて、借景を楽しむパブリックスペースが増えてきました。管理者がいない公共の公園で使用する場合、スツールは動かせないようにデッキに固定します。この製品の規格品の高さはH450ですが、この現場の場合はカウンターに合わせて高くしています。足置きバーも溶接してます。長良川の鵜飼いの船を見るためです。

風憩の風景
166
Impression

2023.09.07

尿酸値と尿素

東京都荒川区

夏休みの自由研究。孫に付き合って本屋にパッケージを選びに行きました。今年の健康診断で尿酸値の数値がNGだったので、気になって尿素を使った「結晶の研究」という題名の自由研究パッケージを買いました。グルグルかき混ぜて飽和水溶液をつくって、その他いくつかの工程を行ってシャーレに入れてほったらかしてたら、翌日にはこの状態。すごい勢いで結晶が増殖するのに怖気づきました。尿酸値を気にして生活することを誓った自由研究でした。尿素だから関係ないかな?

風憩の風景
167 Products

アルマイト

三重県紀北町

日本では、アルミ形材はアルマイトを施して使用するのが一般的です。正式名称は陽極酸化皮膜、これは日本で特許申請された技術です。海外でのアルミ形材を使用した建材を調べると、生材（アルマイトを施していない材料）に粉体塗装を施している製品が圧倒的に多いです。アルマイトの基本色はアルミの色に最も近いシルバー色。セコロウッドのダーク色の笠木と合わせると水平ラインが強調されて、転落が抑止される安心感が滲み出します。

砕石によるセンターライン

三重県多気町

2023.09.14

仲間と三重県の下まで撮影に行った帰り、多気町にあるホテルと温泉がある商業施設に見学に行きました。施設内の歩道はインターロッキングブロックやコンクリート平板ではなく、すべてアスファルト舗装でした。びっくりしたのは車道です。センターラインは白線ではなく、アスファルトを切った溝に砕石が詰められていました。無造作に放り込まれた砕石のゴツゴツしたテクスチャーに、センターラインをオーバーさせない意思を感じました。

風憩の風景
168
Products

ハコプラベン

東京都墨田区

開発開始から200日あまり。ようやく完成の目処がたってきました。ハコベンとプランターを一体化したベンチ「ハコプラベン」です。気の合うガーデーナーとコラボレーションして、プランターに入れる樹種の選定を進めているところです。打ち合わせをしていると、ニュウサイラン・ピンクストライプ4号、ブッドレア・シルバーアニバーサリー等、初めて聞く花の名前が沢山出てきます。今までのパブリックスペースには無かったガーデンプロダクツを目指しています。ハコベンの角の収まりは、セコロウッドの中空材を使ってカチマケ無しのトメでいきます。

風憩の風景
168 Impression

2023.09.21

老齢のブルーズマンのごとき電柱

京都府舞鶴市

「丹鉄」京都タンゴ鉄道に乗って西舞鶴から豊岡まで旅してきました。知らない駅に降りて写真を撮りながらブラブラするパターンです。無人駅の電柱。カラッカラッに乾燥して含水率0％の丸太木材。真っ黒のコールタールが剥げて皺が深く刻まれてます。ミシシッピデルタのバレルハウスで演奏して生業をたてる、80歳のブルーズマンの顔に見えました。青い空と白い雲、針葉樹の緑に深い皺。環境アートのような電柱でした。

風憩の風景
169
Products

街の色でつくる地元の独灯

島根県江津市

時計の針がとまったかのように、ひっそりと息を潜めて、当時の風景を残している江津本町に、「地元の独灯」を納入しました。赤瓦の屋根と白壁の土蔵街の町並みの佇まいの通りを歩いてると、季節外れのつくつくほうしの鳴き声が聴こえてきます。そのザワザワした鳴き声に、かつて舟運の拠点として栄えたイメージが映像として見えてくるようです。灯具の塗装は石州瓦の色に合わせ朱色に、本体の支柱は地元で採れる福光石を使用しています。

風憩の風景
169
Impression

2023.09.28

通天閣の足元の商店街を俯瞰する

大阪府大阪市

何十年ぶりかで通天閣に上りました。東京でも高層ビルにはよく上って写真撮りますが、こんな風に生活感があるカットは撮れたことがありません。高さが103mの通天閣だからこそ、歩いている人の会話が聞こえてきそうなカットが撮れます。スカイツリーや東京タワーではこうはいきません。商店街の周りには低層の建物しか建っていないことも重要ですね。ジャンジャン横町で串カツ食べて、ビール飲んで、生きてる幸せかみしめながらいつまでも歩きました。

風憩の風景
170
Products

地道に実績を伸ばす「ユニップ憩木」

福岡県糸島市

コブのフォルムを持つ手すり「ユニップ憩木」、プレス加工で製作しています。直径4cm厚み3mmのアルミ製の丸パイプを13cmのピッチで波形に直径3.2cmまで絞っていきます。子供やお年寄りが握りやすい太さと掌に引っ掛かって滑らない太さの間隔が13cmという絶妙なピッチに設定されています。発売から10年あまり、爆発的な需要はありませんが地道に日本全国に実績を増やしています。

風憩の風景
170
Impression

2023.10.05

地域の厄除けサイン

広島県福山市

仕事をやりくりして、いつか撮りたいと思ってた鞆の浦に行ってきました。いつもの散歩、手ぶらで裏道ブラブラだらだら歩きです。気がつくと、どの家の玄関にも茸でつくった丸い輪っかが飾ってあります。宿に帰って調べると芽の輪（ちのわ）と呼ばれる伝統行事らしいです。沼名前神社の茅の輪神事が終わった後、その茅の輪の一部を家庭で編み直して飾ることで、魔除け、厄除けになるとのこと。微妙にカタチの違う各家庭の玄関に吊された茅の輪の写真を見ながら、手づくりすることと、玄関に飾る災難を除けるサインについて考えました。その手のサインは世界中にありますね。

風憩の風景
171
Products

コラボレーションで生まれる新製品

大阪府大阪狭山市

プロダクトをつくることを信条とする僕らの製品開発において、僕らの規格品に別のメーカーの製品を装着することは、新しいプロダクトを生むきっかけになる大変重要な事案になります。この現場は、アルミ製シェルター「コアパネルーフ」をバスストップで使用し、補助金を使ってミストを装着するというミッションでした。制御ボックスには電気のインプット、水道のインプットとミスト装置へのアウトプットの3種類の配管が入ってます。屋根材にスマートに配管を回していくセンスが問われる収まりでした。上手くいったと自負しています。

風憩の風景
171
Impression

2023.10.12

瀬戸内の風景

広島県福山市

見晴らしの良い高台から海を眺めていると自転車を押しながら少女が二人、海岸沿いの歩道を歩いてきました。自転車を留めて防潮堤に並んで座り、夕日見ながらしゃべりはじめました（想像）。瀬戸内海の優しい凪がゆっくり押し寄せてきます。こんな素敵な場所で子供時代を過ごしたら、どんな大人になるんだろう？山に囲まれた盆地で少年時代を過ごしたあの頃の自分を思いながら、二人が歩きだすまでずっと海を見てました。

風憩の風景
172
Products

公衆無線LAN装置「ソラワイ」

大阪府八尾市

公園でWi-Fiサービスが受けられる、独立電源式公衆無線LAN装置「ソラワイ」。オフグリッドだからでしょう、防災公園や避難場所に指定された公園での事例が増えてきました。総務省推奨認証の「メールアドレス登録」又は「SNSログイン認証」にも対応。不正利用防止のための利用者情報の確認ができます。半径100mのWi-Fiエリアをカバーします。平常時も災害時も便利に使える、スマートプロダクツです。

風憩の風景
172
Impression

2023.10.19

ガラスに映すポートレイト

福岡県福岡市

部屋の外にはテラス、その先は海、遠くに街の灯り、背後には山。縦位置の画面の半分より下に、これらの要素が配置できるロケーションは初めてでした。さらに、テラスの先に伸びた軒の下の木製の天井材がチラリと写ってます。でも、垂直に伸びているサッシ枠のクレセント錠が残念でした。サッシ開けて撮れば良かったけど、そしたらセルフポートレイトにはならなかったんですね。一番上のレイヤーであるサッシガラスに自分を配置したかったんです。この時は。

風憩の風景
173
Products

ダムの管理用階段に高欄と手すりを設置

島根県江津市

2～3年に1物件ぐらいのペースで受注しているダムの案件ですが、今年は島根県江津市に施工中の「波積ダム」に、高欄と手すりを設置しました。重力式コンクリートダムの表情と同じ色合いのアルマイトシルバー色の仕上げです。笠木の中にはLEDライン照明が装着されていて、完成後にはダム堤体上部の歩道を照らしていきます。ダムの高さは50m弱。ダムの両サイドにある管理用階段を上り下りしながら手すりを設置しました。1968年のダム調査開始から55年、ようやく完成間近です。

風憩の風景
173
Impression

2023.10.26

UBPと命名

東京都渋谷区

原宿表参道から1本入った裏道の歩道です。工事中でもないのにカラーコーンが光ってます。工事現場用のカラーコーンがウラハラジュクに置かれるとオブジェに変身です。エネルギーは乾電池です。誰かがスイッチを入り切りしてるのでしょう。でも真夜中だと工事中になっちゃいますね。ブルーアワーの時間帯だからこそ不思議なオブジェに見えてきます。場所と時間が限定されたオブジェ、「ウラハラブルーアワーポストコーン=UBP」でした。

風憩の風景
174
Products

レジャーシートから野外卓へ

東京都中央区

屋外で使用されるテーブルとベンチが一体化しているファニチュアーをピクニックテーブルと呼んでいます。野外卓とも言います。公園に遊びに行ってお弁当を広げる時、昔はレジャーシートの上にお弁当を置いてくるま座になって食べていました。ベンチに座って食べるのは、日本が西洋風な生活スタイルになったからだと思っていましたが、昔の西洋の絵画を見ても、くるま座になって食べています。だとしたらピクニックテーブルを使用するようになったのは、室内の生活スタイルを屋外にも求めている現代人の考え方が生んだプロダクトなのでしょう。

風憩の風景
174
Impression

下町の日常風景

東京都江戸川区

2023.11.02

東京の下町で、日暮れまで待って照明の実績写真を撮影しました。風を感じながら窓を全開してクルマで帰る途中、信号待ちで止まるとニンニクを焦がした良い匂いが漂っていました。横を見ると、チェーン店ではない町の中華屋さんの勝手口からこちらに向かってきます。「腹減ったー」って思わず独り言。赤いネオンと黄色の支線カバー、青いラインとマンホール、赤い鍋に黒Ｔ親父。スマホでカシャッと頂きました。

風憩の風景
175
Products

自分が暮らす街に自社製品が設置される喜び

東京都荒川区

自分が暮らす街に僕らのつくった製品が設置されることほど、嬉しいことはありません。営業スタッフに実績撮影リストを書いてもらったら、じぶんちの近所の公園がありました。普段は休日にしか行ったことがない公園です。平日の夕方撮影に行くと、走る子どもの多さにビックリ。自分の子どもの頃にタイムスリップしたような賑やかな光景が見られました。手すりにぶら下がりながら友達とおしゃべりする子どもたちを見て、本来の使い方ではないけれど安全に使用できる製品をつくり続けることを誓いました。

風憩の風景
175
Impression

2023.11.09

初めて見た歩道の仕様

ワシントン州シアトル

たまたま誘ってもらったライブバーで最近好きになった女性ジャズベーシストの生演奏を堪能した帰りに、面白いもの見つけました。交差点の切り下げ部分を、プレキャストコンクリートで一体成形したプロダクトです。車道と同じレベルのところには点字ブロックが貼り付けられています。日本では見たことがないプロダクトでした。ダウンタウン一帯の交差点には、同じものが設置されています。交差点の警告ブロックばかりで、歩道に誘導ブロックがないのが気になりましたが、そこは何とかなるのでしょう。

風憩の風景
176
Products

格子とサイン「ルーバーロンド」

東京都江東区

アルミ形材に再生木材表層を装着し、一体化して成形するハイブリッド再生木材、「セコロウッド2」。このマテリアルの特性を活かして規格化したサインプロダクトが、「ルーバーロンド」です。すべての部材メンバーはセコロウッド2で構成されています。正面からはぬけ感を感じさせ、斜めから見ると面になっていることで、存在感を醸し出します。柱材とルーバー材の見附幅を同じにし、且つ、ルーバー材の隙間も同じサイズにしています。金沢ひがし茶屋街で見た千本格子をイメージしました。

風憩の風景
176
Impression

2023.11.16

ただの落書きではありません

ワシントン州シアトル

彩度の低いクリーム色の鉄板に、薄いグリーン色とブルーの色が映えてます。主線の黒のよれた線に親しみを感じます。スプレーを使った瞬間芸のグラフィティではなく、時間をかけて描いた絵画のようなグラフィティ。アメリカの建築様式を丁寧に表現した落書きに、この街に住む人たちのセンスを感じました。「アマゾン、スタバ、ニルヴァーナ」。

風憩の風景
177
Products

ソーラー照明灯「ソライトハーフ」

岩手県葛巻町

ガードレールが装着された河川沿いの新設された車道に、ソーラー照明灯「ソライトハーフ」を設置しました。道路上に照明のための基礎コンクリートを置くスペースが無いため、長さ3m程度のポールをガードレールの支柱にバンドで共架して装着します。ポール上部のソーラーパネルボックスに、バッテリー・照明装置を収納して一体化しています。車中へのグレアを感じさせずに、車道の端に設けられた歩行者ゾーンをホンノリと照らしています。

風憩の風景
177
Impression

2023.11.23

東京ドーム外野席の一体感

東京都文京区

東京ドーム外野席で孫とサムライジャパンの観戦。ここ20年くらい野球観戦は内野席ばかりだったんで、久しぶりの外野席応援でした。ジャパンの攻撃の時は、ライブハウスでパンクバンド観るのと同じように立ちっぱなしです。どこからともなく聞こえてくるリズムに合わせて、外野席の観客全員で同じ手拍子とかけ声で応援し、一体感が増してきます。最後サヨナラヒットで逆転勝利。回りの人とハイタッチで歓喜、優勝で終わる劇的な展開でした。でも、相手の攻撃の時スマホいじってる人が多くて、「何か変だな？」とは思いましたが…。

風憩の風景
178
Products

反射光を利用した高欄

東京都東大和市

東京都と埼玉県の境にある多摩湖に架かる歩行者自転車専用の橋梁に、僕らのSP種高欄「TSUKISHIMA」が設置されました。配線のための外部に露出する保護管を使用せず、アルミ形材の笠木の中に配線を通す「ビスタシステム」の考え方を用いた転落防止柵です。ハイポール照明は車道用の橋梁に設置されていて、この人道橋の照明は笠木内のライン照明のみです。夜間活動するランナーや歩行者のために、格子に反射した灯りを舗道に落としています。

風憩の風景
178
Impression

2023.11.30

2023年、紅葉ベストショット

福岡県篠栗町

今年の春にも書きましたが、春は桜、秋は紅葉、毎年このふたつだけは写真撮って、自分なりのベストショットを決めています。2023年の紅葉ショットは、これに決まりました。博多から地元に帰る途中の車窓の中から撮った、駅舎の窓に切り取られた紅葉。赤と黄色と緑の紅葉とシルエットの枝。駅舎のフェンスに映り込んだ電車の窓が、撮影時の気持ちの動きを思い出させてくれます。

風憩の風景
179
Products

和風空間に置く灯籠

宮城県大崎市

インバウンドの方の訪問が増えてきた観光地で、和風空間の演出に灯籠タイプの要望があった場合、ソーラー式演出照明「独灯」から派生したフルオーダー製品で提案しています。セコロウッドの表層材のボディ部と切妻屋根の照明部。屋根の上にはソーラーパネルが装着され、バッテリーとコントローラは灯籠の中に収納されています。高欄の親柱には田の字の独灯の屋根付きも設置されています。

風憩の風景
179
Impression

2023.12.07

素材考

神奈川県小田原市

知り合いから教えてもらった『素材考』という本が今年読んだ本の年間ベストです。その中の一文「形骸化された物や既製品を活用するアイデアに満ちたものづくりからは、(略)ひらめきや遊び心やユーモアなど、つくり手の人間性が色濃く投影される。」このくだりに共感しました。先日、著者が設計にかかわっている本に紹介されていた「江之浦測候所」に行ってきました。内も外もすべての空間が、マテリアルフェチにはたまらない体験でした。冬至の日に朝日がこの隊道に差し込む瞬間を、来年は経験したいと思います。[君の声で戦えた－チバユウスケ－ R.I.P.]

風憩の風景
180
Products

災害時のライフラインを守るソーラー照明灯

岩手県山田町

岩手県の海岸沿いに、災害時ライフラインが切れた場合でも水門の開閉作業ができるように、防潮堤に上る階段への照射と、防潮堤に設置された水門の開閉扉を照射する目的で僕らのソーラー照明灯「ソライト」が設置されました。数台設置した内のいくつかは、ソーラーパネルと照明器具を切り離して施工する分離方式を採用しています。太陽の光が届かない所に灯りが欲しい場合に便利です。

風憩の風景
180
Impression

2023.12.14

ショッピングモールとパームツリー

福岡県久山町

今年行った展示会で面白かった中のひとつに、ショッピングモールの文化的意義を考察した「モールの想像力」というのがありました。その展示会で知った「自転しながら公転する」という小説の中に、アウトレットモールに配置されたパームツリーのことが書かれています。最近立ち寄ったモールの駐車場に、パームツリーが配置されていてそのことを思い出しました。周りを見渡せば針葉樹ばかりの里山の中のショッピングモールに出現したパームツリー。木のプロポーションについて初めて考えてみました。

風憩の風景
181
Products

低床デッキ

東京都江東区

展示会に行った帰り、4年前に設置したテーブル付きのハコベンソラマメとセコロウッドデッキの経年変化を見てきました。舗装材と円形のデッキ材をゾロ（同じ高さ）で収めている現場です。ここ数年、低床デッキの現場は増えてますが、グランドレベルと同じ高さで収めた現場はここだけです。地面を掘り込んで基礎コンクリートを打ったり、導水の問題やエッジの見切りの設えを考えたり、収まりには注意が必要ですが、バリアフリーの観点からも異素材のゾロ収まりは有効ですね。

風憩の風景

181

Impression

2023.12.21

黒鉛粒

佐賀県みやき町

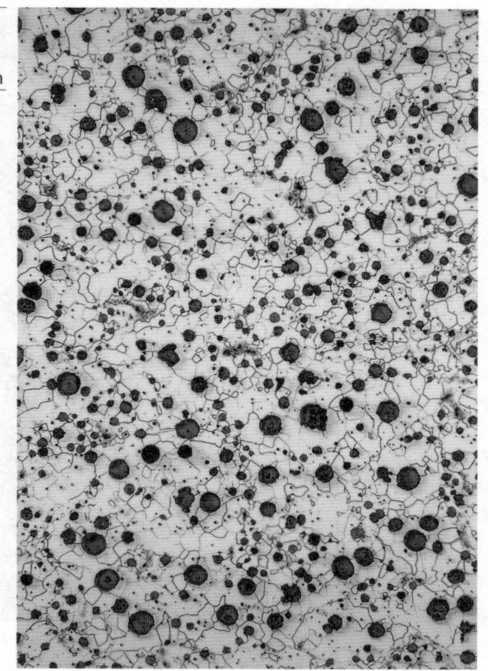

鋳物工場を見学してきました。断面がグレー色をしているため「ねずみ鋳鉄」と呼ばれるGrey Iron Castingsは、JIS G 5501 FC100~350に相当します。この画像は、それよりも引張強さのある球状黒鉛鋳鉄品FCD370~800の顕微鏡写真です。この写真の黒い粒が黒鉛粒で、この形態分類が5パターンに分かれていて、それぞれの黒鉛粒の面積率で引張強度や伸び、耐力に影響してきます。この黒鉛粒の量も工場で調整するそうです。難しいことは分かりませんでしたが、綺麗な顕微鏡写真がテキスタイルデザインに使えるなあと思い、承認を得てパチリと写真に納めてきました。スマホの待ち受け画面に使ってます。

風憩の風景
182
Products

穴加工

埼玉県行田市

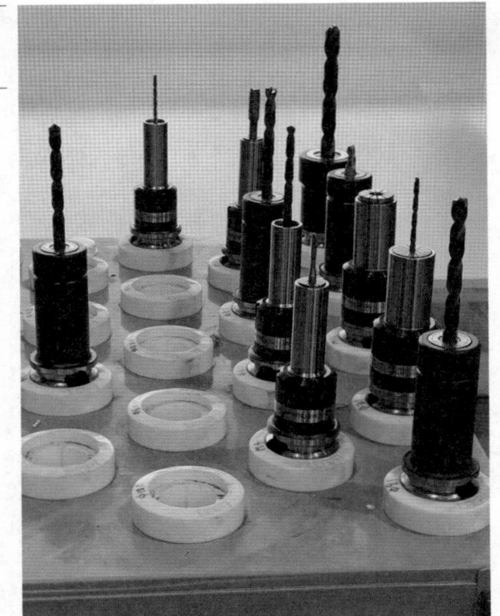

今年も沢山の穴をあけてきました。スチール材と違って、溶接すると強度が落ちるアルミ形材を主要なマテリアルにしている僕らの製品では、部材同士の接合はボルトで行うのが一般的です。会社起業時はボール盤に錐を取り付けて人海戦術で穴を明けてましたが、現在はNCで加工しています。穴加工の生産性は劇的に上がりましたが、アセンブリと梱包はまだまだ改善の余地がありますね。来年のテーマです。

風憩の風景
182
Impression

2023.12.28

風景が思い出させてくれる

福岡県東峰村

子どもの頃に母の実家があった大分県日田市に行く時、山の中の田んぼに石が積んであったことを不思議に思っていました。自分が住んでた地域の田んぼでは見たことがない景色でした。最近同じルートを通って日田に行く途中、カーブを曲がって棚田の石積みが現れた瞬間、子どもの頃にクルマの中で交わした両親との会話が鮮明に蘇ってきました。こうやって何かの拍子に思い出すことが供養になるのでしょうね。来年は何気なく思い出される会話を、ひとつずつ積み重ねる1年にしたいなあと思います。Love&Peace愛と平和。

風憩の風景
183
Products

隅田川の防潮堤のスロープと階段

東京都台東区

隅田川の防潮堤をまたぐアルミ製のスロープと階段。SP種の転落防止柵「SWSP」との組み合わせで2007年から設置を始めて今年で17年です。最近はインバウンドの旅行者のランナーが、左岸側から昇る太陽と共に走り始める光景を目にするようになりました。訪問先での体験としてランニングはありですね。散歩だけでは分からない発見があるはず。今年は夜のホッピーは早めに切り上げて、僕も出張先で走ってみようっと！

風憩の風景
183
Impression

2024.01.11

しはくまく

京都府京都市

出張したその日の宿、Apple Watchに促されて京都二条から祇園までブラブラ散歩。交差点を直角に曲がりながら75分歩きました。途中のお寺の外周に、紫と白の垂れ幕が。調べてみると「しはくまく」と言うらしい。落語会やお茶会等、催事の時に使用するとのこと。確かに黒白は不祝儀だし、赤白は祝儀、この紫と白は絶妙なコントラストで、イベント開催を発信しています。デジタルサイネージが無かった時代、通行人を呼び込む手段だったんですね。

風憩の風景
184
Products

天然素材の魅力

東京都港区

打ち合わせ時間に早く着いたので、マクドナルドでコーヒー飲みました。ふと見るとテーブルの脚に木目が見えます。触るとホンモノ。針葉樹塗装無し。80 φ 程度の太さは、昨年僕らが発表した「日本の森のランドスケーププロダクト」JFLPシリーズの中の防護柵のビームみたい。柾目が素敵でした。もちろん出来立てのポテトも美味い！

風憩の風景
184
Impression

2024.01.18

今がベストの腐食状態

東京都千代田区

僕らのつくるプロダクトは、使用するマテリアルがアルミ形材アルマイト仕上げを基本にしています。そのため、キズ、サビ、ハガレの状態はめったに目にすることがありません。朝の通勤途中の信号待ち、万世橋交差点で横に並んだトラックのボディーが超アート。サビが進行して滲んできてます。ウインドウ下げてスマホでパチリ。今がベストの傷だらけのボディ。これ以上の腐食はただのスクラップに見えるかな。

風憩の風景
185
Products

シツラエ

東京都世田谷区

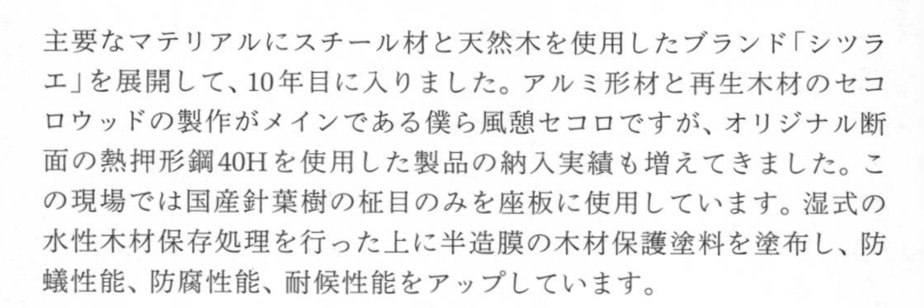

主要なマテリアルにスチール材と天然木を使用したブランド「シツラエ」を展開して、10年目に入りました。アルミ形材と再生木材のセコロウッドの製作がメインである僕ら風憩セコロですが、オリジナル断面の熱押形鋼40Hを使用した製品の納入実績も増えてきました。この現場では国産針葉樹の柾目のみを座板に使用しています。湿式の水性木材保存処理を行った上に半造膜の木材保護塗料を塗布し、防蟻性能、防腐性能、耐候性能をアップしています。

風憩の風景

185

Impression

2024.01.25

秀和レジデンス

東京都目黒区

昭和の終わり頃、賃貸といえばアパートの時代、マンションは大企業の重役、芸能人、文化人しか住めないイメージでした。僕ら地方から都会にやってきた若者達は、瀟洒な佇まいのマンションの秀和レジデンスに憧れました。地中海をイメージさせる白い荒々しい外壁が特徴的でした。先日「路線価図で街歩き」というセミナーに参加して目黒一帯を歩いていた時に、久しぶりに目にしました。講師の先生も同世代。あの頃憧れていたマンションの話で盛り上がりました。今なら住めるかも？と言われましたが、今はあの頃は敬遠していた平屋の日本家屋に住みたいです。

風憩の風景
186
Products

白を基調にしたベンチ「シャビー」

茨城県筑波市

数年前、原研哉氏の「白」というタイトルの本を読んで、いつか白いマテリアルの製品をつくりたいと思ってました。白い表層のセコロウッド5を見た時、これでベンチをつくろうとピーンときました。ネーミングは「シャビー」。構造部材のアルミ形材は、シルバーアルマイト仕上げをチラ見せ。座板と側板の合わせ部は小口を45度カットし、小口を見せない「トメ」でいきます。工場のスタッフからは小口見せの収まりは「カチマケ」に変更してくれと言われてますが、ここがデザインの肝です。妥協するわけにはいきません。頑張ってペーパー掛けしていただきました。白が基調の新装開店したベーカリーに3基設置しました。

風憩の風景
186
Impression

2024.02.01

ゴーカートに遭遇

東京都台東区

コロナ明けから、中央通りを日本橋から上野方面にクルマで走っていると、ポケモン風ゴーカートに遭遇する機会がまた増えてきました。コロナでパタッと収束したと思ったら、最近は毎日遭遇します。先日は晴海通りの歌舞伎座前の信号で遭遇。そのまま銀座4丁目交差点を右折、上野までずっと併走です。気持ちよさそうにはしゃいでる異国のヤングマンを見て、僕も車道から80センチ位の目線で夜の銀座通りを走ってみたいと思いました。BGMはマッハGo!Go!Go!。三船剛に憧れました。

風憩の風景
187
Products

漁港の照明灯

宮城県南三陸町

漁港にソーラー照明灯「ソライト」を設置しました。ソライトのポールを支えるコンクリート製の基礎ブロックのサイズは、1m×1m×深さが1mです。JIL（日本照明工業会）が定める、照明用ポール強度計算基準に沿って構造計算を行い設定しています。接岸部のエプロンを1m掘ることはできないので、漁港の場合は置き基礎タイプを採用することが多いです。エプロンで働いている人たちを見ると、ソーラー照明灯の灯りは真っ暗なうちから漁に出る漁業従事者の生活に役立っているなあーと実感できます。

風憩の風景
187
Impression

2024.02.08

パチンコ屋のファサード

京都府京都市

パチンコもスロットも何十年もやってませんが、近頃街で見かけるパチンコ屋がお洒落になったなあと感じていました。地方都市の郊外にある巨大なパチンコ屋は、LEDのイルミネーションがテーマパークみたいで一目で判断はつきますが、町中にある店は何屋か分からないようなファサードの店舗が増えた印象があります。最近京都で見た、昭和にタイムスリップしたかのようなネオン管のファサード。店内は軍艦マーチとタバコの煙でしょうか？さすがにそれはないだろなあ。八代亜紀聴きながら打ちたいなあ。

風憩の風景
188
Products

座れる緑化装置「ウォーカブルプランター」

熊本県熊本市

20年前ぐらいに知り合い、お互いの会社の開発製品のアイデアを語り合っていた先輩経営者のMさんが亡くなって3年が経ちました。晩年は交流がなくなっていたのですが、経営を引き継いだ現在の社長から、彼が生前に製品化した緑化のプロダクトを紹介されました。道（みち）をターゲットにした製品を数多く開発した彼らしい製品です。ぜひコラボしてみたいという申し出を快諾頂き、「ウォーカブルプランター」というネーミングのプランターベンチが完成しました。水やり不要。雨水だけで緑化できる植栽も一緒に販売します。メンテナンスフリーのプロダクトです。ハンドリフトを使って移動できます。今春から販売開始。座れる緑化装置です。

風憩の風景
188
Impression

平山さん

東京都台東区

2024.02.15

「PERFECT DAYS」観てきました。自転車、銭湯、居酒屋、首都高、隅田川、公園、自転車、ガラス窓、畳部屋等、僕が普段生活しながら見ている風景がそのままたくさん沢山映ってました。主人公の平山さん（役所広司）は僕とほぼ同じ年齢でしょうか、カセットテープで聴いている音楽の趣味もピッタリ。エンドロールに出てきた「木漏れ日」という言葉とイメージ。遠くから喧騒が聞こえる静かな神社のベンチに腰掛けて、木の葉が風に揺れる間に差し込む光。いつも僕が感じている感触が映像になってました。エンディングの平山さんの顔のアップ。流れてくるニーナシモンの「Feeling Good」。最高の気分でした。また平山さんに会いに行きたいと思いました。

風憩の風景

189

Products

馬事公苑の三角形の藤棚

東京都世田谷区

馬事公苑に設置される藤棚を製作しました。リニューアルオープンが昨年の11月。撮影したのは冬に入ってからです。陽射しを避けて影をつくることが一番要求される機能である藤棚です。でも南中高度が低いこの季節では、藤棚の真下は一日中陽が当たって縁台に座って日向ぼっこができます。広場の線形に合わせて、僕らの規格品の四角形パーゴラのアルーバーを三角形に変更してつくりました。7月になったら、夏の真上からの日差しを浴びて真下にできるシャドーを撮影に来ます。

風憩の風景
189
Impression

2024.02.22

端材でつくるティッシュカバー

東京都千代田区

仕事中テイッシュが無くなったので探しに行くと、在庫されているのはビニールで包装された箱無しのものでした。使い始めたら紙を引っ張る時、全体が動くので片方の手で押さえる必要があることに気づきました。片手で使用できません。ひらめきました。工場の端材入れにいつも大量に入っているアルミ製の階段、スロープ用の大引き、根太用のCチャンネル150×70×6.0tの端材。これを長さ150mmに切断して、上部をスリット加工しティッシュに被せたら動かないかも。年度末で忙しい中、NC担当S君にお願いして加工してもらいました。使い勝手Good!!。僕らのオンラインサイト「風の市」で売ろっかなー。

セットベンチ

東京都文京区

アール形状のロングベンチと丸テーブルのセットで構成された「セットベンチ」。発売から2年目にしてようやく実績できました。片持ちタイプのパーゴラ「キャンチアルーバー」との組み合わせ納品です。創立から四半世紀、プロダクトアウトではなく、マーケットイン指向での開発しかしてこなかった僕らです。いつの時代でも市場の声に真摯に耳を傾けて、その時代に必要とされるプロダクトをアウトプットしてきました。アール形状の背付きベンチと一部丸テーブル。2024年らしいプロダクトだと自負しています。

風憩の風景
190 Impression

2024.02.29

good enough

沖縄県宮古島市

最近読んだ本に書いてあった小話。小さな漁村を訪れたとある実業家は、釣ったばかりの魚を抱えて歩く漁師と出会った。釣るのにどのくらいの時間がかかったかと質問する。「たいしてかかってないよ」「ならもっと釣ればいいのに」「これで十分だよ」「釣り意外の時間は何してるの？」「遅くまで寝て、魚を少し釣って、子供たちと遊んで、妻と昼寝して、銭湯行って、夜は仲間たちとクロキリ飲みながらギター弾いてる」。MBAを持っている実業家は驚いて「僕と組めば事業を大きくできますよ」と言う。「船を大きくして魚を沢山とって缶詰工場をつくれます」。「それで？」と漁師。「都会に行って流通センターを開きましょう」。「そのあとは？」。「事業を海外展開して、上場させます。タイミングみて株式を売れば、大金持ちになれます！」。「そのあとは？」。「そしたら引退して、小さな漁村に移住し、遅くまで寝て、魚を少し釣って、子供たちと遊んで、妻と昼寝して、銭湯行って、夜は仲間たちとシャベリ、飲みながら、ギター弾く生活が送れますよ」。漁師は微笑み、首から下げている白いタオルで汗を拭って、ロングピース燻らせて去っていく…。いい話だ。自分にとって、ほどよい(good enough)仕事とは何？

風憩の風景

191

Products

役に立っていることの嬉しさ

熊本県益城町

2016年に発生した熊本地震の被災地の益城町の木山地区の公民館に、日除パーゴラ「アルーバー屋根付き」と、かまどベンチ「ヘッツ」を納品しました。撮影を終えて、ベンチに座っていた地元のお爺さんと話していると、震災で壊れた家には住まずに空家や空き地になっているところが多いと聞きました。そんな中で、この公民館が地域のコミュニティのハブとして役に立っていることを嬉しそうに語ってくれました。僕らのつくった製品が役に立っていると感謝され、昨年入社の新人営業スタッフのH君が誇らしげな顔してました。僕も嬉しかったです。

風憩の風景
191
Impression

2024.03.07

次の道路環境を考える

東京都千代田区

先日、30年来の付き合いの交通用品メーカーの友人と会食しました。会話の中で「今後自動運転が当たり前になると、道路の白線を引くライン業者は忙しくなるね」と振ってみると意外な答えが。車メーカーは「白線ラインを頼りにナビゲートする方式は取らずに、独自に開発したシステムを採用するかもしれない」とのこと。近い未来、道路から白線が無くなることはないにしろ、EV車や自動運転の普及は僕らの想像のできない道路環境が生まれてくることは間違いないですね。ガードレールや信号、道路標識や横断歩道が無い世界。その時に必要なプロダクトは何か？ 考えるだけで楽しいです。

風憩の風景
192
Products

チョイ掛けベンチ

東京都台東区

笠木にアルミ形材を再生木材表層で仕上げたセコロウッドツー(SW2)を使った転落防止柵「SWGT」は、700アイテム程ある僕らの製品の中で販売数量が常に上位にある人気プロダクトです。販売数量が安定しているため、工場には常に材料の在庫があります。今回のオーダーは、ベンチの座の形状を「歩道の線形に合わせてベンダー曲げして欲しい」との要望でした。そこでSWGTの笠木を使用して、チョイ掛けベンチをつくりました。歩行者の邪魔にならないように座の幅は200ミリ程度です。笠木の断面はアール形状なので膝裏にも優しいです。

風憩の風景
192
Impression

早咲き桜

東京都台東区

2024.03.14

先週末から通勤途中の上野公園、「交番前早咲き桜」が満開です。朝の信号待ちの車の中からスマホでパシャリ。異国のヤングマンたちが記念写真撮っているのを見ると、自慢したくなります。今年は僕らの会社も5年ぶりに上野公園で花見開催。孫と共に参加予定。宮本君の歌詞にもありますが「花見なんぞのどこがいい」って気分で毎回出掛けて行くのですが、いざブルーシートに胡座かいて座ると、「桜の魔法」にかかって一気に浮かれてしまいます。桜の下は「浮世の夢」ってことですかね。

風憩の風景
193
Products

サイン＋ベンチ＋照明＋ルーバー

千葉県流山市

サイン、ベンチ、照明＋ルーバー。最近設置した僕らの規格品サイン「ルーバーロンド」のイージーオーダーです。サインという機能に、必要な表示板を取り付ける壁をルーバー形状にして風圧を逃します。このことにより、支柱のサイズと基礎寸法を小さくできます。その支柱の上に独立電源フットライト「Fの独灯」の照明ユニットを装着。ルーバーと同じサイズのセコロウッドでベンチを取り付けて完成です。ひとつのランドスケーププロダクトに3つの機能を集約。もうひとつ、公園銘板として、ステンレスの切り文字を取り付けました。

風憩の風景
193
Impression

スニーカーをフレームイン

東京都千代田区

東京に居る時は、ランチ食べた後近所の本屋をブラブラするのがルーティーンになってます。ネットで本を買うことが当たり前になった今の時代、本屋での新しい本との出会いは大切な贅沢な時間です。最近、映画のフレーミング関係の本を立ち読みしてアイデアが湧いてきました。3年程前から横断歩道をモノクロで撮ることが好きになって結構撮り溜めています。その本に書いてあったカメラの位置を低くして脚を入れてアオリで撮ることで、ある心の動きを表現しているとの記述に共感しました。当分の間、お気に入りのスニーカーをフレームインして撮り続けたいと思います。

風憩の風景
194
Products

寄りかかりベンチ「オーバルギア」

神奈川県伊勢原市

座ると言うよりは寄りかかることを目的とした「オーバルギア」、2年前に発売開始してようやく採用されました。同じようなプロダクトは今までもあったのですが、この製品の特徴は楕円形のビームパイプを使用した背の角度と座の角度が可変できること。脚の高さも3種類用意してしてるので使用状況に応じて対応可能です。この現場はウォーキング用の陸上トラックの外周に設置。しっかり座ると立ち上がりに苦労します。そのことを考えて、寄りかかりのために配置されています。

風憩の風景
194
Impression

2024.03.28

スチールパイプの傘立て

東京都千代田区

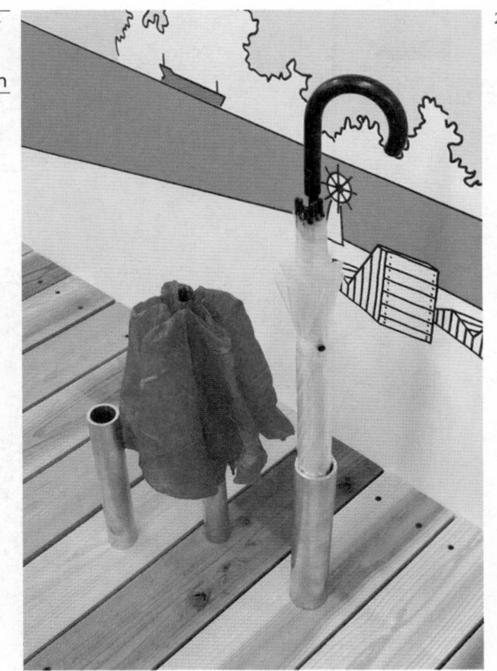

普段から気になる材料やデバイスを机の周りに置いておいて、ふとした瞬間にアイデアが出てくるのを待ってます。最近なんとなく気になって、スケジュール管と呼ばれる通常のスチールパイプより肉厚の厚い圧力配管用炭素鋼管に、溶融亜鉛メッキしたパイプを3サイズ置いていました。急に雨が降ってきて折り畳み傘を使用した後、そのスケジュール管に傘の持ち手の方から差し込むと、気持ちよくすんなり入っていきました。生花みたいでしょ。いつも雨水がついた状態の折り畳み傘の置き場所に不便を感じていたので、「これは何かできるかも？」ってヒントになりました。何をつくろうかなー。

風憩の風景
195
Products

曲げ加工が可能な転落防止柵

東京都千代田区

やっと桜が3分咲き。明日から雨が降るのでチャンスは今日だけです。そんな気持ちで今週は、桜を背景にした現場写真の撮影を強行中です。この手すりの現場は昨年に設置完了していましたが、桜が咲いたらまた撮影に来たいと思ってました。スチール製のFBにセコロウッド2のブラック色。芯材がアルミ形材だから曲げ加工が可能。いつもの収まりであるフレキシブル金具を使用せずとも、スマートな角度変化に対応できます。皇居のお堀を気持ちよく見せる開放感のあるシンプルなガラス製の転落防止柵（当社製ではない）も素敵だなあ。僕たちらしいクリアなフェンス考えよう！

風憩の風景
195
Impression

2024.04.04

新年度のスタート

東京都台東区

いつもの道。久しぶりのクルマ通勤。カーブ曲がったら真正面に満開の桜。今年はじれったいくらい桜が咲かなかったから「やっと満開だー」って嬉しくなりました。信号は赤。停止線のずいぶん前でゆっくり停車して、レンズを望遠にしてスマホでパチリ。やっぱり春が来るって嬉しいですね。リスタートして、新年度楽しみましょう。

風憩の風景
196
Products

風憩セコロといえば…

栃木県小山市

桜と僕らの製品が一緒にフレーミングできる現場を探して、今週も旅を続けています。今年の年度末に完成した栃木県の公園に、SP種転落防止柵「SWSP」が設置されました。マットブラウンアルマイト仕上げとセコロウッドダークブラウンサンディング仕上げのカラーリングの組み合わせが見えてくると、遠くからでも僕らの製品と分かります。この組み合わせで20年。長い歴史の中で、UNIQLOの赤と白やTSUTAYAの黄色と青みたいに、風憩セコロのカラーになりました。桜にピント合わせて絞り開放F1.7 で撮影しても、「SWSP」ってバレてしまいます。

風憩の風景
196
Impression

2024.04.11

写真の魅力

東京都墨田区

今まで使ってたストロボがデジタルに対応してなかったので、This Year's Modelのストロボを購入しました。スタジオに篭ってひとりで露出やシャッタースピード、ストロボの光量や位置、角度の実験をしました。モデルは自分。セルフポートレートです。何百枚も撮る中で偶然に写っていた1枚。ピント、露出とも失敗ですが好きなカットです。写真はこれだから面白い。

風憩の風景
197
Products

没個性だからこそ変身できる

東京都調布市

箱型ベンチ「ハコベン」はネーミング通りゴロンとした塊感のある箱が地面に置かれてベンチとして機能しています。その形状のシンプルさから、オプションとして色々な機能をもつ道具と組み合わせても違和感なくマッチします。この現場では白いテーブル、四角いアームレストがマッチングされました。人間と同じく没個性的なキャラクターは他者との関わりの中で、個性的な色々なキャラクターに変身できるんですね。

風憩の風景
197
Impression

加齢を楽しもう

東京都文京区

2024.04.18

2024年上半期、青い春の頃に夢中になったミュージシャンが続けて来日しました。「これが最後の来日かも？」との思いで観に行きました。ホールでのコンサートだからゆったりした椅子で還暦オーバーには優しいライブでした。79歳ボズのハイトーンボイスは昔のまま、同じく79歳ロッドは4人のコーラス隊にヘルプしてもらってエンターテイメントしてました。印象的だったのは76歳のジェームステイラー。ギターのピッキングミスや高い声が出ないことを包み隠さずそのままパフォーマンスしてました。「若い頃のようにはいかないけれどそれで良いのだ！」と言われてるような気がして、十分納得のライブでした。歳をとることを楽しみたいです。

風憩の風景
198
Products

「ハコプラベン」デビュー

千葉県千葉市

開発スタートから15ヶ月、プランターベンチ「ハコプラベン」が完成しました。始まりは「ハコベンにプランターを装着する」というアイデアから始まったプロジェクトでした。このプロジェクトでは当初からプランターベンチを販売するだけではなく、そこに植えられる植栽もワンストップで提供していこうという想いがありました。想いは熱くても、植栽のことについてなんの知見のないアルミ加工屋です。開発を進めていく中で出会った色んな人たちに助けられカタチにすることができました。「座って愛でるハコプラベン」デビューします。

風憩の風景
198
Impression

2024.04.25

インプットタイム

カタール ドーハ

トランジットで立ち寄った空港で長時間過ごす場合の楽しみのひとつが異国の人の観察です。スマホを見るフリしながら定点観察しています。空港内のショップの内装やサイン、パブリック空間のトイレや階段、床材を調査した後は、志ん生の落語を聴きながらベンチに座ってずーっと観察してます。気に入った組み合わせがフレーミングされたと思ったらパシャリ。強制的にとどまって観察し思考する時間は僕の大事なインプットタイム。

風憩の風景
199
Products

手すりの支柱と照明の柱の角度の潔さ

東京都荒川区

隅田川テラスの階段にステンレス憩木「FUTuL2」を設置しました。階段に手すりを設置する場合、階段の両脇にコンクリート地覆を立ち上げてそこに支柱を設置するケースがほとんどです。支柱はベースプレート式か地覆にφ100程度の穴をコア抜きして埋め込むかのいずれかです。いずれにせよ支柱は階段の踏み面（ふみづら）と垂直に設置されます。この現場でもベースプレートに溶接された支柱は地覆の角度に合わせて斜めに切断されて溶接しています。面白いのは後ろにある照明の柱（当社製品ではない）。地覆と垂直に設置されて柱が傾いています。「なんか問題でも？」って感じのこの潔さに好感が持てます。

風憩の風景
199
Impression

2024.05.09

ロボットデリバリーサービス

東京都中央区

昼下がりの中央通り、神田から日本橋に向かう途中に遭遇しました。ロボットデリバリーサービス。事務所にもどって調べてみると、物体検知技術や自律走行性能、遠隔操作機能を備えた最高時速5.4kmで走行する遠隔操作小型車だとか。27ℓの積載スペースの中から、崩れていないクリスマスケーキやスープがこぼれていないラーメンを取り出す日も近いかも。今は興味深そうに顔を眺めている小学生だけど、10年後には当たり前になる風景でしょうね。

風憩の風景
200
Products

富士山とハコベンリラックス

静岡県富士宮市

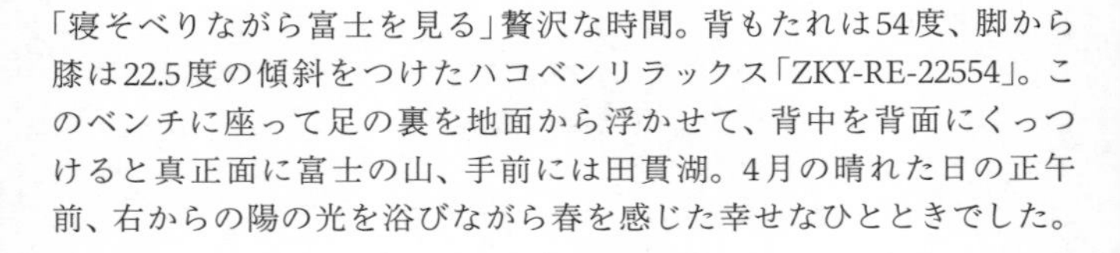

「寝そべりながら富士を見る」贅沢な時間。背もたれは54度、脚から膝は22.5度の傾斜をつけたハコベンリラックス「ZKY-RE-22554」。このベンチに座って足の裏を地面から浮かせて、背中を背面にくっつけると真正面に富士の山、手前には田貫湖。4月の晴れた日の正午前、右からの陽の光を浴びながら春を感じた幸せなひとときでした。